医療機器開発ガイド 第2版

開発前から市販後までのステージ別、規制対応の指針

監修 **菊地 眞**
公益財団法人医療機器センター 理事長

じほう

監修にあたって

医療機器開発とその法規制に迫る新潮流

　近年,新薬開発と併せて各種医療機器の研究開発の重要性がますます高まっている。新型コロナ感染症パンデミックの社会的背景を踏まえて開発ならびに市場化でも明らかな変容が顕在化しつつあり,ポストコロナでの社会経済活動の回復に向けた"Value based Medicine（真に価値ある医療）"の提供に寄与すべく医療機器産業界の新たな幕開けが予見される。

　そのことを示すように2021年度第5回日本医療研究開発大賞では,新型コロナ感染症重症例で顕著な救命効果を発揮したECMOの研究開発と実用化ならびにその普及による功績が高く評価されたことは記憶に新しい。さらに,近年目覚ましく進展しつつある医療機器DX化の潮流も加速しており,医療機器でのハード・ソフトの融合化や,プログラム医療機器,AI医療機器,ヘルスケアデバイスなどが注目されている。また,健康・医療戦略推進本部のもとで開催される「医療機器・ヘルスケア開発協議会」では,ポストコロナでの医療・ヘルスケア産業の方向性と,今後の在宅医療で必要になる医療・ヘルスケア機器開発が中心課題になっている。その他にも,これらを実現するためのエコシステム構築や海外市場への展開促進なども今後の医療機器産業界の重要課題である。

　そうしたなかで,新たな改正薬事法が2013年に成立し,2014年から施行された。法律名称も「医薬品,医療機器等の品質,有効性及び安全性の確保等に関する法律」（医薬品医療機器法）に変更された。このとき,史上初めて法律の名称に「医療機器」が明記されたことはご承知のとおりである。医療機器の品質,有効性および安全性の確保は,以前から求められており市販前の承認審査などで評価されていたが,それだけでは不十分で,その適正使用が重要になる。そのため,医薬品医療機器法では法律の目的が「医療機器等の使用による保健衛生上の危害の発生および拡大の防止」と明確化された。これにより開発した製品を厚生労働大臣の承認などを取得し上市するだけでなく,市販後の危害の防止,安全対策もあわせて両輪で対応していくことが求められるようになった。さらに,2019年には,近年の目覚ましい技術革新の反映と医療機器の特性をさらに活かし,併せて企業ガバナンス強化のために医薬品医療機器法の一部改正が公布された。

医療機器開発で知っておくべき法規制を網羅的,平易に記載

　こうした状況に対応するため,本書は,長年にわたって医療機器開発支援に携わってこられた第一線のベテラン指導者が,開発から上市,さらに市販後に必要な知識や法規制,情報などを,アカデミアやベンチャー企業などの新規参入者からある程度経験を有する者にまで日々の活動に直接役立つようにわかりやすく平易な表現でまとめた実務書である。

　第1章「医療機器開発と法規制」から始まり,第2章では「医療機器開発の前に」,さらに第3章で「医療機器の設計開発」と開発者が基本的に押さえておくべき内容を実務的に記述している。また,第4章では開発後に必要になる「臨床試験」が詳細に説明されており,第5章

でその後の上市過程に必要な「業態ほか」が，さらに第6章では「市販後の薬事規制」と，医療機器開発のすべての過程で知っておくべき内容が網羅的に記載されている．

　特に第2版では，医薬品医療機器法公布後から現在に至るまでに種々の改正が公布・施行されたことを受けて，医療機器に特有な研究開発（風上側）〜製品化・上市〜市場開拓（風下側）までのそれぞれの過程の改正内容を迅速にキャッチアップし，正しく把握・理解していただけるように加筆・修正を行った．

　わが国の重要産業の一つに位置付けられる医療機器産業を今後さらに発展させるため，医療機器開発に携わるすべての方々にぜひとも本書を利活用いただきたくお願い申し上げます．

2022年3月
公益財団法人医療機器センター 理事長　菊地　眞

序

　本書は，2016年8月に上梓した医療機器開発ガイドの改訂第2版である。本書作成の趣旨である，新たな医療機器開発およびその製造販売承認申請を目指すアカデミア，ベンチャー企業，異業種企業の開発担当者にとって，開発を進めるための参考となる種々の情報をまとめ，その解説を加えることで医療機器の設計開発をガイドするという目的に変わりはない。

　しかしながら，初版上梓から6年が経過し，その間に新たな医療技術によるさまざまな医薬品および医療機器の開発が進められてきた。また，ここ数年新型コロナウイルスとの戦いが続いており，ここでも新たな医療技術で開発されたワクチンや医薬品が誕生し，これらによるパンデミックの収束が期待されている。このように医療技術は人が健康に生き続けるために必須の技術として，環境変化に応じた開発が継続されていくものである。

　今回の改訂では，医療技術の進化に対応するために近年行われた医薬品医療機器法の改正，および医療機器の範囲の拡大（医療機器プログラムなど），さらにはアカデミアにとって重要な臨床研究にかかわる法整備など，新たな内容も取り入れ，最新の状況にあわせたものとした。

　構成は初版にほぼ従い，医療機器開発の各プロセスで必要な情報を取りまとめ，特に第3章では医療機器の設計開発についてわかりやすく詳説しており，具体的な機能試験などは参考になると考えている。初版と同様に，医療機器開発への新規参入を検討しているアカデミア，ベンチャー企業などに役立てていただければ幸いである。

　なお，本書の初版作成より多大なる貢献をいただいた石黒克典氏が本年1月末日に逝去された。御冥福を祈るとともに，友人として感謝の念に堪えない。

2022年3月
執筆者を代表して　片倉健男

執筆者一覧

監 修

菊地　眞　　公益財団法人医療機器センター 理事長

編 集

片倉　健男　　元 国立医薬品食品衛生研究所スーパー特区対応部門

執 筆（五十音順）

石黒　克典　　公益財団法人医療機器センター 医療機器産業研究所
大森　綾子　　株式会社カネカ
田中　志穂　　ジョンソン・エンド・ジョンソン株式会社
安田　典子　　東レ・メディカル株式会社

協 力（五十音順）

浦冨　恵輔　　株式会社ジェイ・エム・エス
三田　哲也　　テルモ株式会社

Contents

第1章　医療機器開発と法規制　1

- 1-1　規制は医療機器開発の"道標" 2
- 1-2　薬事法から医薬品医療機器法へ 2
  1. 2014年の法改正のポイント 4
  2. 2019年の法改正のポイント 4
- 1-3　規制の理解・運用のために法令体系を理解しよう 5
- 1-4　医療機器規制の基本的な考え方 6
  - ①ひと（業態）
  - ②もの（医療機器そのもの）
  - ③取り扱い，市販後安全対策
  1. 医療機器を取り扱う「ひと（業態）」 6
  2. もの（医療機器そのもの） 7
  3. 広告規制 8
  4. 市販後の安全対策 8
     - ①情報提供としての表示，注意事項等情報
     - ②情報収集・提供，危害防止，不具合報告，回収
  5. 監督および罰則 9
     - ①監督（行政措置）
     - ②罰則（刑事処分）

第2章　医療機器開発の前に　11

- 2-1　開発前に医療機器への該当性を確認する 12
  1. そもそも医療機器とは 12
  2. 開発しようとしている品目が医療機器に該当するか？ 12
  3. 医療機器と医薬品は大きく異なる 14
  4. 医療機器に該当するか？ 14
- 2-2　一般的名称とクラス分類 16
  1. 不具合が生じた場合のリスクに応じたクラス分類 16
  2. クラス分類の考え方 16
  3. 一般的名称とは 17
- 2-3　承認審査での申請区分 19

第3章　医療機器の設計開発　21

- 3-1　医療機器開発の要点 ··················· 22
- 3-2　医療機器の開発から上市までのプロセス ··················· 22
  1. 探索・FS（フィージビリティスタディ）ステージ ··················· 22
  2. 開発ステージ ··················· 23
  3. 治験ステージ ··················· 23
  4. 製造実現・承認取得ステージ ··················· 24
  5. 製造販売（上市）ステージ ··················· 24
  6. 各ステージ終了時の「設計審査」 ··················· 24
- 3-3　設計開発サイクルとリスクマネジメント ··················· 24
  1. 設計開発のWaterfallモデル ··················· 24
  2. 設計のインプット情報 ··················· 25
- 3-4　設計開発プロセスとリスクマネジメント ··················· 26
- 3-5　医療機器のクラス分類と医薬品医療機器法に基づく必要な手続き ··················· 28
  1. 医療機器のクラス分類 ··················· 28
  2. 医薬品医療機器法に基づく必要な手続き ··················· 28
  3. 承認申請戦略・計画の策定のポイント ··················· 28
- 3-6　医療機器の基本要件 ··················· 30
  1. 基本要件 ··················· 30
  2. 基本要件の改正 ··················· 30
  3. 基本要件の考え方 ··················· 32
  4. 基本要件の適合性確認 ··················· 33
     - ①基本要件をうまく活用しよう
     - ②もれなく確認しよう
     - ③確認の方法
     - ④申請資料への反映
- 3-7　医療機器開発に必要な安全性・有効性に関する試験と評価 ··················· 35
  1. 安全性を担保する試験項目 ··················· 35
     - ①生物学的安全性試験
     - ②電気的安全性および電磁両立性試験
     - ③耐久性試験
     - ④安定性試験
  2. 性能（機能）確認試験 ··················· 39
  3. 承認基準，認証基準 ··················· 40
     - ①承認基準
     - ②審査ガイドライン

③認証基準
　　　④その他
　4. 承認基準を事例とした非臨床試験および基本要件の考え方 ················ 41
　5. 承認基準事例におけるリスク分析とリスクマネジメントの考え方 ········ 43
　6. 医療上の有用性試験 ·· 44
　7. 臨床試験データ添付の要否 ·· 45

3-8　設計検証を始めるにあたっての注意 ···································· 46
　1. データの信頼性 ·· 46
　　　①製造販売承認申請と申請資料の信頼性
　　　②信頼性の基本的な考え方
　2. 信頼性の保証 ·· 49
　3. データの定義と記録化 ·· 49
　　　①データの記載方法
　　　②データの信頼性に関わる具体的事例

3-9　医療機器の製造販売承認（認証）申請 ···································· 50
　1. 医療機器のクラス分類と必要な申請手続き ···························· 50
　2. 承認申請パッケージ ·· 52
　　　①類別
　　　②名称（一般的名称および販売名）
　　　③使用目的または効果
　　　④形状，構造および原理
　　　⑤原材料
　　　⑥性能および安全性に関する規格
　　　⑦使用方法
　　　⑧保管方法および有効期間
　　　⑨製造方法
　　　⑩製造販売する品目の製造所
　3. 承認までのプロセス ·· 55

3-10　承認等事項の変更 ·· 56

3-11　開発を進めるにあたってのポイント ···································· 58
　1. 優先審査 ·· 58
　2. PMDA対面助言相談制度の活用 ·· 58
　3. 審査報告書の活用 ·· 61
　4. 次世代医療機器評価指標 ·· 61
　　　①基本的事項
　　　②非臨床試験
　　　③臨床試験（治験）の要件

3-12　保険適用 62

第4章　臨床試験　63

4-1　治験実施計画書と医療機器GCP 64
　　1.　治験実施計画書とそのデザイン 64
　　2.　治験実施計画書の記載事項 64
　　3.　症例報告書 64
　　4.　治験機器概要書 64
　　5.　説明文書 65
　　6.　インフォームド・コンセント 65
　　7.　治験のステージ 67
　　8.　治験前に行うこと 67
　　9.　医療機器GCPと医療機器GCP省令 68
　　　①医療機器GCP
　　　②医療機器GCP省令
　　10.　ヘルシンキ宣言と「被験者に対する補償措置」 69
　　　①ヘルシンキ宣言
　　　②被験者に対する補償措置

4-2　治験計画届 70
　　1.　治験計画届 70
　　2.　治験に関する届書の種類と提出時期 71

4-3　臨床評価と臨床研究および未承認医療機器の提供 72
　　1.　臨床評価 72
　　2.　臨床研究 72
　　　①臨床研究法
　　　②臨床研究に関する生命・医学系指針
　　3.　臨床研究で用いられる未承認医療機器の提供 78

第5章　業態ほか　79

5-1　市場出荷のポイント 80
5-2　医療機器の業態と参入ステップ 80
　　1.　医療機器の業態 80
　　2.　医療機器業界への参入ステップ 80
5-3　企業の法令遵守体制 81
　　2019年の改正法 81
5-4　製造販売業の許可 82

1. 許可の種類 ·· 82
　　2. 製造販売業の役割 ·· 82
　　3. 許可の基準 ·· 82
　　4. 製造販売業の許可の申請 ·· 83
5-5　QMS体制省令 ·· 85
　　1. 制定の趣旨 ·· 85
　　2. QMS体制省令の関連通知 ·· 85
　　3. QMS体制省令の要求事項 ·· 85
　　　①組織の体制に関する基準
　　　②人員の配置に関する基準
　　4. 必要な人員の配置 ·· 86
　　　①管理監督者
　　　②管理責任者
　　　③医療機器等総括製造販売責任者
　　　④国内品質業務運営責任者
　　　⑤製造販売業者における責任者の兼務
　　5. QMS体制省令適合資料 ·· 91
5-6　GVP省令 ·· 92
　　1. 制定の趣旨 ·· 92
　　2. 製造販売後安全管理 ·· 92
　　　①安全管理情報
　　　②安全確保業務
　　3. GVP省令とその関連通知 ·· 92
　　4. GVP省令の要求事項 ·· 93
　　　①GVP省令の要求条項と各製造販売業者への適用
　　　②安全確保業務に関する組織と職員ならびに安全管理責任者の業務
　　　③製造販売後安全管理業務手順書等
　　　④安全管理情報の収集・検討および安全確保措置の立案ならびに実施
　　　⑤自己点検
　　　⑥教育訓練
　　　⑦安全確保業務に関する記録の保存
　　　⑧不具合などの報告制度
5-7　医療機器の製造業の登録制 ·· 96
　　1. 製造業の登録制への移行 ·· 96
　　2. 製造業の登録関連通知 ··· 97
　　3. 登録の範囲 ·· 97
　　　①製造業の登録を受ける製造所の製造工程

②製造工程の具体的な考え方
　4. 登録製造所の責任技術者 ………………………………………………… 99
　　　①責任技術者の設置
　　　②設計のみを行う製造所の責任技術者
　5. 製造業の登録の申請 …………………………………………………… 100
5-8　医療機器の製造管理および品質管理の基準 ………………………… 102
　1. 品質マネジメントシステム …………………………………………… 102
　　　①QMS
　　　②医療機器のライフサイクルと法規制
　　　③医療機器の製造販売承認および認証申請内容の維持
　2. QMS省令の要求事項 …………………………………………………… 104
5-9　設計開発工程 …………………………………………………………… 115
　1. 設計開発工程と関連工程 ……………………………………………… 115
　2. 設計開発工程の要求事項 ……………………………………………… 115
　3. QMS省令各条項要求事項 ……………………………………………… 115
5-10　品質管理監督システムの適合性調査（QMS適合性調査）………… 120
　　　①QMS適合性調査の要領
　　　②QMS適合性調査の申請
　　　③QMS適合性調査の方法
　　　④調査対象施設の選定
5-11　製品群省令の制定 …………………………………………………… 122
　1. QMS適合性調査合理化 ………………………………………………… 122
　　　①合理化の趣旨
　　　②製品群省令の制定
　　　③製品群省令における品目ごとの調査
　　　④一般的名称の該当する製品群区分
　2. 製品群省令の規定 ……………………………………………………… 123
　　　①製品群省令の構成および考え方
　　　②製品群区分の細区分・特例
　3. 製品群への該当性 ……………………………………………………… 124

第6章　市販後の薬事規制　127

6-1　広告規制 ………………………………………………………………… 128
　1. 名称関係 ………………………………………………………………… 128
　2. 製造方法関係 …………………………………………………………… 128
　3. 効能効果，性能および安全性関係 …………………………………… 129

4.	医療用医薬品等の広告の制限	129
5.	一般向け広告での効能効果の表現の制限	130
6.	他社製品の誹謗広告の制限	130
7.	医薬関係者などの推せん	130
8.	その他，納入実績	130

6-2 未承認医療機器の展示と情報提供 ……………………………… 130
1. 未承認医療機器の展示会などへの出展 …………………………… 130
2. 未承認医療機器の情報提供 ………………………………………… 131
   ①情報提供の基本的考え方
   ②可能な情報提供の範囲
   ③未承認医療機器の情報提供のフロー
   ④「医師等専門家の求め」に対する記録の考え方と未承認医療機器に関する情報
   ⑤学術的研究報告（学術情報）
   ⑥未承認医療機器に関する情報提供Q&A

6-3 表示/添付文書に関する規制 ……………………………………… 138
1. 表示に関する規制 …………………………………………………… 138
   ①法定表示事項および留意事項
   ②表示場所
   ③表示としての記載禁止事項
   ④医療機器プログラム等の表示
2. 注意事項等情報に関する規制 ……………………………………… 143
   ①添付文書の電子化
   ②注意事項等情報の届出
   ③記載要領

6-4 市販後安全対策 ……………………………………………………… 150
1. 使用成績評価制度 …………………………………………………… 150
2. 特定医療機器に関する記録および保存（トラッキング制度）…… 153
3. 危害の防止 …………………………………………………………… 154
4. 情報収集・提供 ……………………………………………………… 154
5. 不具合報告 …………………………………………………………… 155
   ①企業からの報告制度
   ②医療機関からの報告制度
   ③回　収

6-5 行政措置 ……………………………………………………………… 160

6-6 保険収載（適用）の概要 …………………………………………… 161
1. 保険診療で使用できる医薬品等 …………………………………… 162
2. 保険診療で使用される医療機器 …………………………………… 163

①特定保険医療材料（区分B）
　　②特定診療報酬算定医療機器（特定包括：区分A2）
　　③それ以外の医療機器（診療報酬に包括される医療機器：A1）
3. 保険適用希望の手続き ……………………………………………………… 167
　　①新規収載までの保険収載プロセス
　　②保険適用希望書の提出

おわりに　169

索　引　171

第1章
医療機器開発と法規制

1-1 規制は医療機器開発の"道標"

　開発しようとするものが医療機器に該当するのか？　医療機器に対してさまざまなイメージがあるが，医療現場で用いられるものすべてが医療機器ではない。医療機器は法律で定められたものである。その法律が，「医薬品，医療機器等の品質，有効性及び安全性の確保等に関する法律」（以下，本書では医薬品医療機器法という）である。医療機器は，疾病の診断や治療あるいは予防などに用いられるものであるが，医療機器を取り扱うためには法の理解が必要である。医薬品医療機器法では，医療機器の開発，製造，販売などを行うにあたって，その取り扱いや手続き，また遵守すべき事柄が規定されている。

　時折り，製造業登録や製造販売業許可の取得などは終了し，医療機器を製造することはできたが，市販価格が見合わず販売できない，そもそもどう販売していいかわからないということを聞く。医療機器は，開発して試作しただけでは意味はない。「事業化」してこそ初めて企業として継続でき，また社会にも貢献し意味のあるものになる。そのため，開発・試作段階など，本来ならコンセプトを決めていく段階において上市（市場出荷）あるいはその後の対応についても常に念頭において各プロセスを進めていく必要がある。

　医薬品医療機器法は規制法規であり，開発段階でのデータ収集や行政手続き，あるいは市販後の適正使用や安全性などに関する情報収集・提供といった安全対策も求めている。そのため，対応が不十分であったり，適合していなければ，手続きに時間を要したり，行政指導などの処分の対象にもなりうる。しかし，逆に考えれば医薬品医療機器法は，開発から上市に向けて進めていくプロセスや市販後の対応の"道標"にもなる。

　医療機器に関する規制が始まり70年近く経ち，薬事法は医療機器の特性を踏まえて一部改正され，医薬品医療機器法になった。しかし，かといって本来やるべきことが変わったわけではない。

　本章では，より理解を深めるために規制の経緯を含め，各プロセスでの規制内容や概要を説明する。ぜひ，前向きに道標となるよう活用していただきたい。

1-2 薬事法から医薬品医療機器法へ

　図1-1に医薬品医療機器法の改正の経緯を示す。近代薬事規制は，1874年に制定された医制および1889年の薬品営業並薬品取扱規則（薬律）を起源としているといわれるが，「薬事法」という名称が用いられたのは，1943年に制定されたいわゆる「旧々薬事法」が最初である。

　医療機器は，人の診断・治療に用いられるものであり，品質，有効性および安全性について公的な規制が必要であることや，第二次世界大戦後，不良粗悪なものが流通していたこともあり，1948年制定の「旧薬事法」のときから化粧品とともに法的規制の対象とされた。

　現在の医薬品医療機器法のベースである薬事法が1961年に施行（1960年に制定）されて以来，医療機器に関する規制は30年余の間，医薬品の制度を準用して改正されてきた。しかし，医療機器の高度化，多様化を踏まえ，医療機器の特質に応じた規制を図るべく，初めて医

```
医制（1874年） ----- 薬律（1889年） -----
                                    │
                                    ▼
    ┌─────────────────────────────────────────────────┐
    │ 旧々薬事法（1943年）                            │
    │   薬律，売薬法，薬剤師法の一元化                │
    │     戦時体制に即応し，統制的な色彩が強い        │
    └─────────────────────────────────────────────────┘
                        │
                        ▼
    ┌─────────────────────────────────────────────────┐
    │ 旧薬事法（1948年）                              │
    │   医薬品等の製造・調剤・販売・授与に関連する事項などを保健衛生上の見地から規制 │
    │   医療用具（現，医療機器），化粧品も規制対象    │
    │   不良医薬品の取り締まりを中心とする衛生警察法規 │
    └─────────────────────────────────────────────────┘
                        │
                        ▼
    ┌─────────────────────────────────────────────────┐
    │ 薬事法（1960年成立，1961年施行）                │
    │   改正：1979年，1983年，1993年，1994年，1996年，2002年改正（2005年施行）│
    └─────────────────────────────────────────────────┘
                        │
                        ▼
    ┌─────────────────────────────────────────────────┐
    │ 薬事法改正法（2013年11月20日成立，11月27日公布→2014年11月25日施行）│
    │   名称を「医薬品，医療機器等の品質，有効性及び安全性の確保等に関する法律」│
    │   に改める（略して「医薬品医療機器法」）        │
    └─────────────────────────────────────────────────┘
                        ▼
    ┌─────────────────────────────────────────────────┐
    │ 医薬品医療機器法の改正（2019年12月4日公布，2020年9月1日1年目施行，2021年8月1日2年目施行，2022年12月1日3年目施行）│
    └─────────────────────────────────────────────────┘
```

図1-1 医薬品医療機器法の経緯

療機器に注目した薬事法の改正が1994年に行われた（1995年7月施行）。2002年には，国際的な整合性，科学技術の進展，企業行動の多様化などの社会経済情勢の変化，またライフサイエンスの時代（＝21世紀）への対応，および21世紀のニーズに合わせた法の見直しが必要ということから薬事法が大幅に改正され2005年4月に全面施行された。これによって，医療機器のリスクに応じたクラス分類の導入，製造業から「元売行為」を分離した製造販売制度，低リスクの医療機器に関する第三者認証制度の導入，高度管理医療機器の販売・賃貸業の許可制度，国内製品と輸入製品との間における制度間格差の解消などの新たな制度がスタートした。

その後，2010年4月に薬害肝炎事件の検証及び再発防止のための医薬品行政のあり方検討委員会から「薬害再発防止のための医薬品行政等の見直しについて」として，薬事行政の見直しおよび市販後安全対策の強化が提言された。また，医療機器が社会的に認知され，かつ産業としても日本産業の牽引役として期待されてきたこととも相まって，医薬品の制度に準じてきたことにより生じた形式的な制度や，これまでの改正で対応しきれなかった課題などを含め，医療機器の特質，特性を考慮して一部医療機器独自の制度が取り入れられた新たな改正薬事法が2013年11月20日に成立し，2014年11月25日から施行された。この法改正に伴い，法律名称も「医薬品，医療機器等の品質，有効性及び安全性の確保等に関する法律」（医薬品医療機器法）と変更され，1960年に制定された薬事法から約50年強を経過して初めて法律に「医

療機器」という名称が入った。しかし，従来医薬品と同じ制度であったものから医療機器の特質，特性を考慮して一部医療機器独自の制度が取り入れられたといっても，法としての目的，精神は基本的には変わっていない。

　また，医療機器としての品質，有効性および安全性の確保は以前から求められ，市販前の承認審査などで評価されていた。しかし，特に医療機器は製品の有効性，安全性などの評価だけでは不十分で，その適正使用が重要である。そのため，この改正によって法律の目的が「医療機器等の使用による保健衛生上の危害の発生および拡大の防止」と規定され，明確化された。これによって開発した製品（医療機器）を厚生労働大臣の承認などを取得し，上市することのみならず，市販後の危害の防止，安全対策もあわせて両輪として対応していくことがますます重要になってきたといえる。さらに，技術革新の反映と医療機器の特性を活かすため，また企業ガバナンスの強化のために，2019年12月4日に医薬品医療機器法の一部を改正する法律が公布され，2020年9月を初年度とし，2021年8月，2022年12月の3回に分けて施行される。

> **根拠法令，通知等**
>
> ○医薬品，医療機器等の品質，有効性及び安全性の確保等に関する法律
> 第1章　総則
> （目的）
> 第1条
> 　この法律は，医薬品，医薬部外品，化粧品，医療機器及び再生医療等製品（以下「医薬品等」という。）の品質，有効性及び安全性の確保並びにこれらの使用による保健衛生上の危害の発生及び拡大の防止のために必要な規制を行うとともに，指定薬物の規制に関する措置を講ずるほか，医療上特にその必要性が高い医薬品，医療機器及び再生医療等製品の研究開発の促進のために必要な措置を講ずることにより，保健衛生の向上を図ることを目的とする。

1. 2014年の法改正のポイント

　薬事法から医薬品医療機器法への改正にあたり，医薬品や医療機器等の安全かつ迅速な提供の確保を図るため，添付文書の届出義務の創設，医療機器の登録認証機関による認証範囲の拡大，再生医療等製品の条件および期限付承認制度の創設などの所要の措置を講ずることとされた。特に，医療機器に関連する改正のポイントを表1-1に示す。

2. 2019年の法改正のポイント

　医薬品，医療機器をより安全・迅速・効率的に提供するための開発から市販後までの制度改善するため，並びに信頼確保のための法令遵守体制を整備するために，2019年12月に改正法が公布された。必要な準備期間が異なることから，3段階に分けて施行されることになった。主に医療機器に関する改正のポイントを，表1-2に示す。

表1-1　2014年の法改正のポイント

1. **医薬品と別個の章を新設・法律の名称にも医療機器を明示**
・製造販売業・製造業について，医薬品等と章を区分して規定するほか，名称に「医療機器」を明示
2. **単体プログラムの位置付けの明確化**
・単体プログラムを医療機器の範囲に加え，製造販売の対象（欧米との規制整合）
（例）MRI等で撮影された画像データの処理，保存，表示等を行うプログラム
3. **迅速な実用化に向けた規制・制度の簡素化**
・民間の第三者機関を活用した認証制度を高度管理医療機器にも拡大
・個別製品ごとに行われていたQMS適合性調査を製品群単位で調査実施（合理化）
・製造業について許可制・認定制から登録制に改め，要件を簡素化
4. **市販後安全対策の強化**
・添付文書の届出制

表1-2　2019年法改正のポイント

1. **医薬品，医療機器等をより安全・迅速・効率的に提供するための開発から市販後までの制度改定**
・「先駆け審査指定制度[*1]」の法制化，小児の用法・用量設定といった特定用途医薬品等への優先審査，「条件付き早期承認制度[*2]」の法制化
・医療機器の変更確認制度の導入
・適正使用の最新情報を医療現場に速やかに提供するため，注意事項等情報の電子的な方法による提供
・トレーサビリティ向上のため，医薬品等の包装等へのバーコード等の表示の義務付け
2. **信頼確保のための法令遵守体制等の整備**
・許可等業者に対する法令遵守体制の整備（業務監督体制の整備，経営陣と現場責任者の責任の明確化等）の義務付け
・虚偽・誇大広告による医薬品等の販売に対する課徴金制度の創設
・国内未承認の医薬品等の輸入に係る確認制度（薬監証明制度）の法制化

[*1]：世界に先駆けて開発され早期の治験段階で著明な有効性が見込まれる医薬品等を指定し，優先審査等の対象とする仕組み
[*2]：患者数が少ない等により治験に長期間を要する医薬品等を，一定の有効性・安全性を前提に，条件付きで早期に承認する仕組み

1-3　規制の理解・運用のために法令体系を理解しよう

　医療機器の製造販売などを規制しているのは法律であるが，その詳細は，法に基づく政令（施行令等）や省令（施行規則），告示で定められている。さらに，行政機関が法律を運用するにあたっての留意点などを示した「通知」があり，法律の規制内容や具体的な運用を理解するには通知内容も含めて法令の体系（図1-2）を理解しておくことが必要である。

図1-2 法令の体系

1-4 医療機器規制の基本的な考え方

医薬品医療機器法の第1条に法の「目的」が規定されており、この目的を達成するために、各章にその手段が定められている。手段は、大きく次の3つに分類できる。

①ひと（業態）

取り扱う人の面から、例えば、製造販売業、製造業、販売業など

②もの（医療機器そのもの）

取り扱う医療機器に関し、承認・認証・届出など、また、承認・認証要件としてのQMS（品質マネジメントシステム）など

③取り扱い、市販後安全対策

もの以外の取り扱いとして、表示、添付文書、広告、あるいは市販後の情報の収集・提供などの安全対策など

1. 医療機器を取り扱う「ひと（業態）」

業態に関する規制の基本となる事項のイメージを、図1-3に示す。

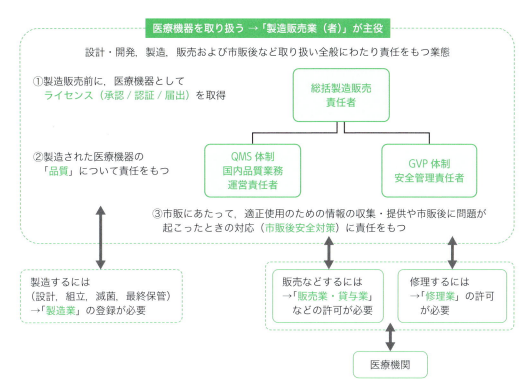

図1-3 医療機器を取り扱うひと（業態）に関する基本的事項

2. もの（医療機器そのもの）

医療機器そのものに関する規制の基本となる事項のイメージを，図1-4に示す。

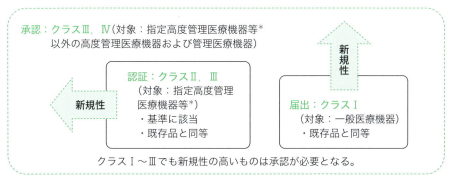

図1-4 医療機器そのものの規制の基本的事項

3. 広告規制

医療機器を製造販売するにあたっては，プロモーションや販売促進の一環としてパンフレットなどを用いて広告などを行うことが多いが，この広告についても法的に規制されている。広告は承認などの内容が前提となっており，承認や認証などの内容（効果および性能など）の範囲内でしかできず，それを超えると「誇大広告」や「承認前の広告」として規制される。

そのため，承認などの申請手続きを行うにあたっては，販売の際の広告なども考慮する必要がある。

4. 市販後の安全対策
①情報提供としての表示，注意事項等情報

2014年の法改正において，「医療機器等の使用による保健衛生上の危害の発生および拡大の防止」が法律の目的として明確化されるなど，適正使用などのための情報の収集・提供の重要性がますます増大した。その一つとして，法定表示事項や添付文書も，情報の提供という視点からとらえることができる。

法的に求められている表示，いわゆる「法定表示」の目的は①適正使用のための情報（使用期限，単回使用の医療機器である旨など），②万が一，不具合が発生した場合に，不良品の特定・対応に必要な情報（製造販売業者の名称および住所，製品番号など），の提供のためと考えられる。そのために，法定表示事項やそれらを表示する場所，あるいは表示してはならない事項などが規定されている。

また，医療機器を使用者に適正かつ安全に使用してもらうため，上記の法定表示事項のほか，有効性や安全性ならびに適正使用に関する情報を提供することが求められている。2021年8月施行の改正法の前は，製品に「添付する文書」として適正使用に関する情報の提供が必須になっていた。しかし，改正法施行以降，医家向けの医療機器では，「情報通信の技術を利用する方法」つまり電子的に提供する方法になった。また，医療機器によっては，操作方法の詳細説明が必要な品目もあり，それらは取扱説明書として製品に添付，もしくは電子的な配信が必要になる。

これら文書は，製造販売業者が医療機器の適正使用に関する情報を伝える手段の一つであり，「情報の提供など」のための重要な媒体である。開発段階においてリスクマネジメントの一環としてリスクコントロールが行われ，その際のリスク低減策の一つとして，表1-3のような「安全などに関する情報を提供する」という手段がとられる。そのアウトプット先が添付文書であるということも考慮する必要がある。

表1-3 リスク低減策として添付文書に求められる記載事項

1. 機器のラベリング（取扱説明書を含む）に警告を入れる
2. 機器の使用や使用状況を制限する
3. 不適切な使用や発生しうるハザードなどの情報を提供する

②情報収集・提供，危害防止，不具合報告，回収

　医薬品医療機器法は，医療機器等の市販後の安全対策として使用成績調査を通じた品目の評価（使用成績評価制度），特定医療機器を使用している（植込み）患者の記録および保存（トラッキング制度），安全性情報の提供，不具合報告，危害発生の防止，ならびに回収の報告について規定している。これらの概要を整理すると，図1-5のようになる。

　また，医薬品医療機器法は，市販前から市販後にわたって安全対策について規制している。製造販売業者は，品質マネジメントシステム（QMS）や製造販売後安全管理（GVP）の体制を整え，製造業者や販売業者などと協力しつつ，医療機器を安全かつ適正な使用を推進する役割を担っている。このため，市販後の不具合や回収といった問題がQMSの製品実現としての開発プロセスのインプット情報になるなど，QMSとGVPがサイクルとして回っていく体制を構築していくことが基本となる。

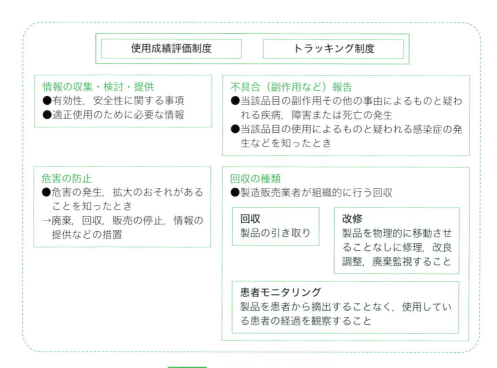

図1-5　市販後の安全対策の概要

5. 監督および罰則

　医薬品医療機器法では，前述した1.～3.の手段の実効性を担保するものとして，「監督」（行政措置）および「罰則」（刑事処分）についても規定している。

①監督（行政措置）

　立入検査，廃棄，改善命令，承認・許可の取り消しなどの行政措置（行政処分）が規定され

ている。これらを，「ひと」と「もの」の面からみると，次のように分けられる。

■ひと（業態）
製造販売業者，製造業者，販売業者などに対する処分：
業許可の取り消し，業務の一時停止，改善命令などの処置

■もの（医療機器そのもの）
問題となったものに対する処分：
廃棄，回収などの命令，危害の発生・拡大防止のための措置

② 罰則（刑事処分）
罰則としては，罰金（最大1億円）や7年以下の懲役などの刑事処分が規定されている。

第2章

医療機器開発の前に

2-1 開発前に医療機器への該当性を確認する

1. そもそも医療機器とは

　ごく簡単に一口でいえば，医療機器とは主として病気の診断か治療などに応用されている製品のことである（別の目的，例えば美容目的などは含まれない）。

　医療機器は，その機器が「法律により，品質，安全性，有効性が評価され市販されるもので，人などに対する使用に供するものとして許容できるか否かを確認したうえで，医療の現場で"やりたいこと"，"実現したいこと"を具現化したもの」であるかを審査される。審査には，表2-1に示す資料の提出が求められる。

　つまり，新しく開発された医療機器は，承認または認証（製造販売承認や認証のことで，法律による審査に適合）されるなどして初めて人（患者）に使用することができる。

表2-1　審査に求められる主な資料

1. 開発の経緯および外国における使用状況に関する資料
2. 設計および開発に関する資料
3. 医薬品医療機器法第41条第3項に規定する基準への適合性に関する資料
4. リスクマネジメントに関する資料
5. 製造方法に関する資料
6. （治験が必要な場合）臨床試験の試験成績に関する資料またはこれに代替するものとして厚生労働大臣が認める資料（臨床評価報告書）

2. 開発しようとしている品目が医療機器に該当するか？

　開発しようとしている品目が医療機器に該当するかどうかは，製品開発上も大切な問題の一つといえる。

　医療機器に該当するかどうかは，医薬品医療機器法第2条第4項の定義を参考に判断される。また，医薬品の定義の除外規定でも医療機器の定義を補足している（下線部）。ここで示されている機械器具など医療機器の分類を表2-2に示す。どうしても判断が困難な場合は，各都道府県の薬務主管課に相談する方法も有効である。

> **根拠法令，通知等**
>
> ○医薬品，医療機器等の品質，有効性及び安全性の確保等に関する法律
> （定義）
> 第2条第1項
> この法律で「医薬品」とは，次に掲げる物をいう。
> 1　日本薬局方に収められている物
> 2　人又は動物の疾病の診断，治療又は予防に使用されることが目的とされる物であって，<u>機械器具等（機械器具，歯科材料，医療用品，衛生用品並びにプログラム（電子計算機</u>

に対する指令であって，1の結果を得ることができるように組み合わされたものをいう。以下同じ。）及びこれを記録した記録媒体をいう。以下同じ。）でないもの（医薬部外品及び再生医療等製品を除く。）

3　人又は動物の身体の構造又は機能に影響を及ぼすことが目的とされている物であって，機械器具等でないもの（医薬部外品，化粧品及び再生医療等製品を除く。）

第2条第4項
　この法律で「医療機器」とは，人若しくは動物の疾病の診断，治療若しくは予防に使用されること，又は人若しくは動物の身体の構造若しくは機能に影響を及ぼすことが目的とされている機械器具等（再生医療等製品を除く。）であって，政令で定めるものをいう。

注：機械器具等とは，機械器具のほか，歯科材料，医療用品および衛生用品ならびにプログラム（ソフトウェア）が含まれている。また，再生医療等製品とは，再生医療技術を応用して，製造された製品を指す。ここでプログラムとは，医師などが「医療機器を使用して適正に診断や治療などを行えるよう，その操作などを補助するプログラム（ソフトウェア）とプログラムを記録した記録媒体」のことである（例：汎用X線診断装置用プログラムなど）。

表2-2　法令で定められている医療機器の分類

法律[*1]	政令[*2]で定める医療機器の種類		一般的名称（例）
	類別数	類別（例）	
機械器具	85種類	内臓機能代用器	植込み型心臓ペースメーカ
			中心循環系人工血管
			人工腎臓装置
		医薬品注入器	汎用輸液ポンプ
			硬膜外カテーテル
			医薬品ペン型注入器
			経腸栄養注入セット
		注射筒	汎用針付き注射筒
医療用品	6種類	エックス線フィルム	画像診断用シネフィルム
		整形用品	全人工股関節
歯科材料	9種類	歯科用金属	歯科用ステンレス合金
衛生用品	4種類	避妊用具	子宮内避妊用具
プログラム	3種類	疾病診断用プログラム	汎用X線診断装置用プログラム
プログラムを記録した記録媒体	3種類	疾病診断用プログラムを記録した記録媒体	（該当する一般的名称なし）

＊1：医薬品医療機器法
＊2：医薬品医療機器法施行令

3. 医療機器と医薬品は大きく異なる

　医療機器は多種多様で品目数も，特定保険医療材料（B区分）に収載されている材料系のものだけで約30万品目といわれ，保険収載されている医薬品（約1万7,000品目）と比較してはるかに多い。項目別に医薬品と医療機器との比較を**表2-3**に示す。このように，さまざまな点で医療機器は医薬品と大きく異なっているといえる。

4. 医療機器に該当するか？

　医療機器に該当するか紛らわしい品目を**表2-4**に示す。理化学機器や衣料であっても，医学的効果を期待して販売したい場合は医療機器と判断されることがある。

表2-3 医薬品と医療機器の項目別比較

	医薬品	医療機器
素　材	主として化学物質	金属，プラスチックなど幅広い
作用・機序	主として化学的	多種多様な作用・機序
使用方法	用法・用量（使い方）が定められている	操作方法が多様で，その習熟が必要
関連する学問分野	医学，歯学および薬学中心	医学，理工学および生物学など幅広い
医療機関内専門部署	薬剤部（薬局）常設	医療機器管理室，ME（Medical Engineering）室（その設置は十分ではないといわれている）
医療機関内専門職	薬剤師などが常駐	臨床工学技士や臨床ME専門認定士など（その数は十分ではないといわれている）

表2-4 医療機器に該当するか紛らわしい品目

品　目	特　徴
弾性ストッキング	一般に女性が使用している物だが，静脈血栓防止効果があるといって販売したい場合は？
酸性水	滅菌水として家庭で使用されることがあるが，高齢者の誤嚥性肺炎防止効果があるといって販売したい場合は？
遠心分離機	実験室に通常設置されている物であるが，患者血液を遠心分離し分取した血清や特定細胞を患者の治療に有効といって販売したい場合は？

　プログラム（ソフトウェア）の医療機器該当性については，その判断にあたっての基本的考え方がガイドラインとして通知で示されている。該当性判断フロー図も示されているので参考にするとよい（**図2-1**）。

> **根拠法令，通知等**
> ○プログラムの医療機器該当性に関するガイドラインについて（令和3年3月31日薬生機審発0331第1号，薬生監麻発0331第15号）

第2章 医療機器開発の前に　15

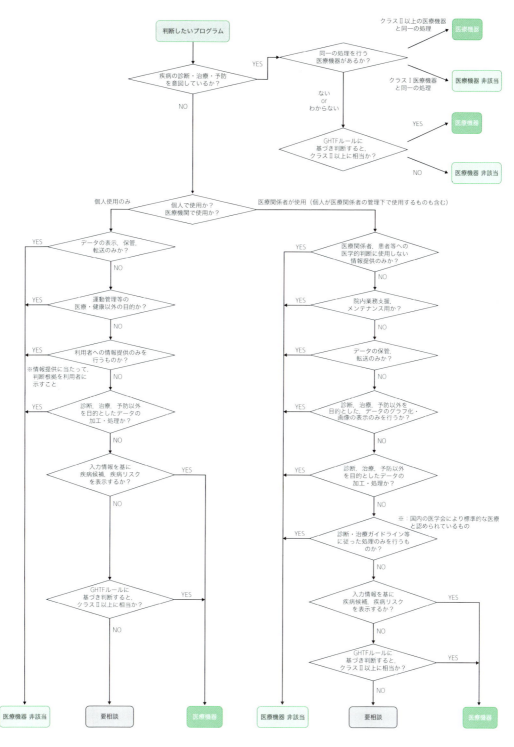

GHTF：Global Harmonization Task Force（医療機器規制国際整合化会議）

図2-1　プログラムの医療機器への該当性について
〔厚生労働省「プログラムの医療機器該当性に関するガイドラインについて」
（令和3年3月31日薬生機審発0331第1号，薬生監麻発0331第15号）より〕

2-2 一般的名称とクラス分類

1. 不具合が生じた場合のリスクに応じたクラス分類

　医療機器は，一般的名称ごとに不具合（副作用や機能の障害）（➡用語解説）が生じた場合（適正使用の場合に限る）においての人の生命および健康に与える影響（リスク）を勘案し，ⅠからⅣまでのクラス分類が定められている。一般的名称とは，医療機器の種類を示している。

　現在のクラス分類は，医療機器規制国際整合化会議（Global Harmonization Task Force；GHTF）で使用目的，人体への侵襲性，エネルギー源の有無および予想される不具合の程度などを勘案して策定されたクラス分類ルールに準拠して定められている。

> **根拠法令，通知等**
> ○薬事法第2条第5項から第7項までの規定により厚生労働大臣が指定する高度管理医療機器，管理医療機器及び一般医療機器（告示）及び薬事法第2条第8項の規定により厚生労働大臣が指定する特定保守管理医療機器（告示）の施行について（平成16年7月20日薬食発第0720022号）【クラス分類告示】
> ○高度管理医療機器，管理医療機器及び一般医療機器に係るクラス分類ルールの改正について（平成25年5月10日薬食発0510第8号）
> ○「医薬品，医療機器等の品質，有効性及び安全性の確保等に関する法律 第2条第5項から第7項までの規定により厚生労働大臣が指定する高度管理医療機器，管理医療機器及び一般医療機器（告示）及び医薬品，医療機器等の品質，有効性及び安全性の確保等に関する法律第2条第8項の規定により厚生労働大臣が指定する特定保守管理医療機器（告示）の施行について」等の改正について（令和3年5月14日薬生発0514第1号）

> **用語解説**
> 　不具合とは，医療機器の故障や不良品の混入などが原因で，適正な使用にもかかわらず，本来の機能を発揮しないこと，または医療機器の汚染が原因で，「患者などに副作用が発症すること」をいう。

2. クラス分類の考え方

　クラス分類の考え方には，表2-5に示す3つのポイントがある。詳細は，上記通知のクラス

表2-5　クラス分類の考え方の3つのポイント

	ポイント
接触/非接触	人間の身体に接触して使われるかどうか
意図した接触時間	接触して使われる場合，どのくらいの時間接触して使われることを意図しているか
リスク	もし，その医療機器に性能不良や不具合が生じた場合，被害（危害）の大きさはどのくらいか

表2-6 クラス分類ルール

分類	定　義	クラス分類
非侵襲型機器	すべての非侵襲型機器（例外あり）	クラスⅠ
侵襲型機器	一時的使用[*1]を及び短期的使用[*2]を意図したすべての外科的侵襲型機器（例外あり）	クラスⅡ
	すべての植込み型機器および長期外科的侵襲型機器（例外あり）	クラスⅢ
	心臓，中心循環系または中枢神経系[*3]に直接接触して使用するよう意図した場合	クラスⅣ
能動型機器	エネルギーを投与または交換するように意図したすべての能動型治療機器（例外あり）	クラスⅡ
	診断を意図した能動型機器（例外あり）	クラスⅡ
	医薬品，体液もしくはその他の物質を人体または人体から投与および／または除去するように意図したすべての能動型機器（例外あり）	クラスⅡ
	その他のすべての能動型機器	クラスⅠ
分析機器	誤った診断結果が得られた場合に，人の生命および健康に重大な影響を与えるおそれがある検査項目を測定する自己検査用診断機器等	クラスⅢ
	誤った診断結果が得られた場合に，人の生命および健康に重大な影響を与えるおそれがある検査項目以外の検査項目を測定する自己検査用診断機器等	クラスⅡ
	その他の分析装置	クラスⅠ

＊1：60分以内の使用　＊2：24時間以内の使用　＊3：脳の内部など

分類ルールで定められているが，このクラス分類ルールを簡略化したものを表2-6に示す。

3.　一般的名称とは

　医療機器の名称には，販売名（各社がその品目につけた名前）とは別にわが国共通の一般的名称（医療機器の種類）が定められている。一般的名称は，高度管理医療機器（リスクが比較的高い医療機器），管理医療機器および一般医療機器（リスクが比較的低い医療機器）に大別され，厚生労働大臣が告示する。

　新しく一般的名称を作成する必要がある場合は，薬事・食品衛生審議会（➡用語解説）（医療機器・体外診断薬部会）の審議を経て厚生労働大臣が告示する。

　現在の一般的名称はJMDN（Japan Medical Device Nomenclature）とよばれ，わが国独自のもので，ISO 15225をもとにした医療機器国際名称（Global Medical Device Nomenclature；GMDN）を参考にしている。2004年7月，平成16年7月20日厚生労働省告示第298号（以下，クラス分類告示）が公布され，高度管理医療機器，管理医療機器および一般医療機器のグループごとに一般的名称が示された。

　翌2005年4月の改正薬事法施行時に4,044名称が告示され，その後，新名称が追加されるごとにクラス分類告示の一部改正として告示される。表2-7に示すとおり，2022年1月20日現在で4,412名称となっている。

　一般的名称は，医薬品医療機器総合機構（PMDA）のホームページ（ホーム＞レギュラトリー

表2-7 クラス分類と一般的名称数

クラス分類		一般的名称の数
法上の分類	クラス	
高度管理医療機器 （クラス分類告示第298号別表第1）	Ⅳ	375
	Ⅲ	815
管理医療機器 （クラス分類告示第298号別表第2）	Ⅱ	2,008
一般医療機器 （クラス分類告示第298号別表第3）	Ⅰ	1,214
合　計		4,412

（2022年1月20日現在）

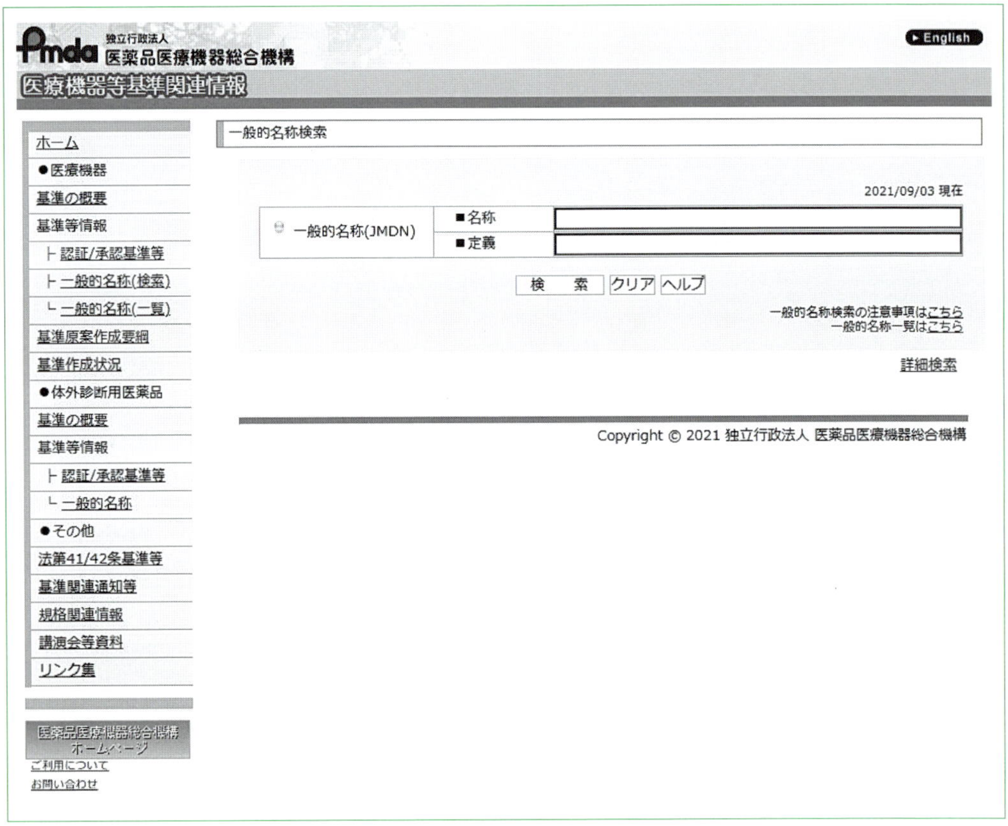

図2-2　PMDAホームページの一般的名称の検索画面
〔医薬品医療機器総合機構医療機器等基準関連情報
（https://www.std.pmda.go.jp/stdDB/index.html）より〕

サイエンス・基準作成調査・日本薬局方＞医療機器基準で「医療機器基準関連情報」が開く）の「一般的名称（検索）」から検索することができる（図2-2）。例えば，名称欄に「血圧計」を入力して検索ボタンを押すと複数の関連する一般的名称が表示される（2021年9月現在）。

> **用語解説**
> 薬事・食品衛生審議会とは，厚生労働省の審議会で主として民間の専門家委員で構成されている．

2-3 承認審査での申請区分

承認審査では，クラス分類とは別に申請区分に分けて審査が行われる．申請区分としては，新医療機器，改良医療機器および後発医療機器の3区分がある（表2-8）．

表2-8 承認審査での申請区分

申請区分	説明
新医療機器	既存の医療機器と構造，使用方法，効果または性能が明らかに異なるもの（原則として臨床試験に関する資料が必要）
改良医療機器	新医療機器でも後発医療機器に該当しないもの（さらに臨床ありと臨床なしに分かれる）
後発医療機器	既存の医療機器と構造，使用方法，効果および性能が実質的に同等であるもの（承認基準ありの場合も含まれる）

第3章

医療機器の設計開発

3-1 医療機器開発の要点

　医療機器には大きく分けて治療に使用される医療機器（人工臓器，カテーテルなど）と診断に使用される医療機器（画像診断装置，モニターなど）およびその他の医療機器（ロボット，歯科材料など）がある。また，それ自身が種々の動力源によって作動する能動型とそれ以外の機器とがある。さらに，滅菌済み注射針のように単回使用で廃棄されるものから人工血管，人工関節のような患者の体内に埋め込まれて基本的にはそこで機能し続けるものまである。さらに，病院といった医療の専門施設で医療専門家によって使用されるものから，一般家庭で一般の方によって使用されるものまである。そのため，医療機器はその使用されるリスクに準じてクラス分類され，生命に影響を及ぼす可能性のある高度管理医療機器から，管理医療機器，一般医療機器に分類されている。このような医療機器をひとくくりにして開発の進め方を解説することはなかなか困難であるが，その機器の特性，使用者，使用される環境を十分に想定して医療機器の開発が行われていることをまず認識しておく必要がある。

3-2 医療機器の開発から上市までのプロセス

　多種多様な医療機器ではあるが，2005年の薬事法改正以後，ISO 13485（Medical Devices – Quality Management Systems – Requirements for Regulatory Purposes）に準じて開発が進められており，設計開発の思想を取り入れることにより，ある目的に対して設計開発された製品に承認を与えるといった考え方となってきた。これに伴い，医療機器開発企業では開発を進めるために品質マネジメントシステム（Quality Management System；QMS）を導入する場合が多く，そのような企業では，医療機器開発におけるステージゲートを設けての設計開発が進められている。企業ごとに開発プロセスに多少の違いはあるが，基本的な流れは図3-1に示すとおりである。本書では，開発を進めようとする医療機器の製品化の最終出口を，開発した医療機器が広く使用されるために保険収載を前提としている。

　QMSを導入している開発企業では，開発の各ステップ（開発，治験，承認申請，製造実現など）において設計審査を実施して開発品目の内容吟味を行い，当初の設計どおりに開発品目が仕上げられてきているかを評価する。設計審査で，例えば変更すべき内容が出てくれば適切な対応をとって開発を継続する。また，医療機器の特徴である市場導入後の顧客意見のフィードバックによるさらなる改良，あるいは市場における不具合対応のための機器の改善についても継続的に実施される。

1. 探索・FS（フィージビリティスタディ）ステージ

　技術や材料を探索し，開発する機器の方向性やコンセプトの確認を行うステージであり，事業可能性を検討する段階である。この段階においてはデータの信頼性を求めるものではない。

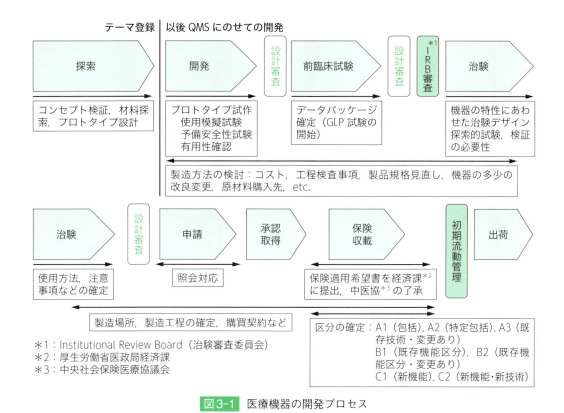

図3-1 医療機器の開発プロセス

2. 開発ステージ

　ここからQMSにのせた開発プロセスに入る。開発する機器において，製品に対する要求事項を明確化し，試作したプロトタイプを用いてその要求事項について検証する。まずは期待する性能が発揮されるか確認・検証を行う。しかし，必ずしも1回の試験で検証が終了できるわけではなく，プロトタイプの改良を重ねながら検証を重ねるのが常である。一定の期待する性能を確認した段階で，予備安全性試験を実施する。最終的に明確化した要求事項のすべてに合致した段階にて，最終仕様が確定する。検証の際のデータパッケージは，その後の承認申請に用いることになるため，データの信頼性確保，文書管理が重要になる。

3. 治験ステージ

　開発ステージにおける前臨床試験から，性能および一定の安全性が確保されていることが確認された段階で，治験（臨床試験）に進む。開発した機器の特性にあわせ，ヒトを用いて何を検証すべきかを考え治験実施計画書（プロトコール）のエンドポイント（評価項目）を定め，PMDAへの治験計画届書の提出，医療機関における治験審査委員会（Institutional Review Board；IRB）審査などの手続きを経て，治験を開始する。治験から，機器の使用方法，使用上の注意事項なども確定する。なお，開発した機器のリスク，新規性の程度，ならびに改良点の内容によってはヒトを用いた治験まで行う必要がない場合もある。

4. 製造実現・承認取得ステージ

　医薬品医療機器法に基づく製造販売承認または認証取得の期間，それと並行し，製造実現のためのステージに入る。どの製造所で製造するのかを定め，必要な材料の購買契約，各製造工程の確立が必要になる。

5. 製造販売（上市）ステージ

　製造販売承認または認証を取得し，必要な保険適用手続き終了後，出荷（製品の上市）が可能になる。医薬品医療機器法において，上市後も継続的に収集した苦情や不具合などの情報，また使用者の評価などから，改善・改良が行われる。また製造工程の改良により，製品の改善・改良が必要になることがある。このようにして継続的に機器としての改善が行われるが，変更の都度，リスク評価の実施が必要になる。

6. 各ステージ終了時の「設計審査」

　医療機器の開発は前述したステージごとに進捗していくが，各ステージが終了した際にはステージ内で行われたことが適切か否かをレビューするための設計審査がステージごとに行われる。

3-3 設計開発サイクルとリスクマネジメント

1. 設計開発のWaterfallモデル

　設計開発のプロセスは，図3-2に示すWaterfallモデルを用いてその全体について説明される場合が多い。最初に，開発予定の医療機器の「意図した用途（使用目的）」を決め，どのような「顧客ニーズ」に訴求するための製品なのかを決める。引き続き，その開発予定の医療機器に必要な要件（仕様）をリスト化し，それが「設計へのインプット情報」となる。リスト化した開発予定機器の要件に基づき，設計プロセスを経て，医療機器のプロトタイプを製造する。この「設計からのアウトプット」となるプロトタイプが完成したら，これを検体として用いて検証を行う。検証（ベリフィケーション）とは，要求事項に対して一つずつ適合しているのかどうかを確かめる試験である。検証の結果，当初定めたすべての要件に適合していることが確認できたら医療機器が固定され，その医療機器を用いて当初設定した「意図した用途，顧客ニーズ」を総合的に満たしているのか妥当性確認（バリデーション）を行う。検証プロセス，ならびに妥当性確認プロセスにおいて，各ステージの結果に基づき，必要に応じて少しずつ機器を改良・調整しながら医療機器として完成させていく。また，市販後も市場からあがってくる不具合・安全性情報などに基づき，適時，必要な改善改良を行い，このサイクルを回していくことが医療機器開発において重要になる。

　その一方，医薬品の開発プロセスは大きく異なっている。基礎研究の最初に対象となる化学物質を特定し，その物質に対して，動物試験などの前臨床試験，治験（第Ⅰ～Ⅲ相）を経て，有効性ならびに安全性に関する情報を収集し，医薬品医療機器法に基づく承認取得後，販売開

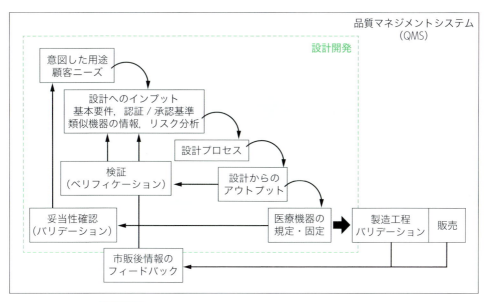

図3-2 医療機器の設計開発プロセス（Waterfallモデル）

図3-3 医薬品の開発プロセス

始になる。販売開始後においても、同一化学物質を対象にした安全性・有効性に関する情報を収集（第Ⅳ相）していく直線的な開発プロセスである（図3-3）。

2. 設計のインプット情報

　一般的にQMSにおいて、医療機器開発における顧客は、患者、ならびに当該医療機器を使用する医療関係者となる。そのため、その顧客満足を満たす品目（製品）の開発を行うために種々の評価すべき項目の検討が行われる。開発プロセスについては医薬品と医療機器の相違点

がよくいわれるが，医薬品開発は比較的パターン化されてきている。例えば低分子化合物の医薬品の場合，特定した化合物に対し評価が必要な項目として，有用性評価，毒性評価などが標準化されており多くのガイドラインが作成されている。一方，医療機器は同一の製品であっても，顧客のユーザビリティ評価の結果，多少使用方法に相違が出たり構成材料に相違があったりするために必要な評価も多様になる。基本的には材料系機器であれば，その使用方法（適用部位，適用時間など）による安全性評価が主となり，医用電気機器ではその使用目的と期待する性能に対する検証，ならびに国際電気標準会議（International Electrotechnical Commission；IEC）にて定められている電気的安全性試験になり，品目ごとに考えるべきである。

まずは，どのような製品の開発を行うかを検討するにあたり，治療用の医療機器であれば，適用すべき対象疾病の明確化，疾病に対してどのような治療を医療機器で行うか，その際にどのようなリスクが生じ，そのリスク回避の方策としてどのような項目について確認を行うべきかなど，品目開発に必要な種々の情報が製品固有のインプット情報となる。このインプット情報には，患者，使用者などからの顧客のニーズ・要望，リスク分析の結果，その製品の販売予定国の規制要求事項，開発品目を継続的に市場供給するための方策（原材料確保など），競合技術情報，当該品目の工業所有権の保護などがあり，製品を設計開発，製造，販売するにあたって検討しなければならない事項のすべてが該当する。

インプット情報の一つとして，医療機器には「基本要件」が設けられている。これはあらゆる医療機器の設計開発にあたり，検討して満たさなければならない基本的な要件である。

この基本要件は，第1章の一般的要求事項（第1～第6条）と，第2章の設計及び製造要求事項（第7～第18条）からなり，この基本要件に適合するように設計・製造されていなければならない。基本要件への適合性を説明する資料として基本要件適合性チェックリストを作成する必要がある（詳細は3-6参照）。

3-4 設計開発プロセスとリスクマネジメント

リスクマネジメントとは，設計開発中の医療機器のすべてのリスクを受容可能なレベルに低減し，これを維持する活動とされている。リスクマネジメントによって，残留リスク（防護手段を講じた後にも残るリスク）が「総合的に受容可能」とされた安全な医療機器を顧客に供給することが求められる。

開発品目のリスク評価を行う場合，各社で種々のパターンがあるが，リスク抽出表を作成し，品目固有のリスクの抽出を行い，リスクレベルの把握，さらにはリスクの軽減手法の検討が必要となる（図3-4）。

医療機器で想定できるハザードとして，使用するエネルギーに関わるもの，使用する材料に起因するもの，使用時に格別の注意を必要とし場合によっては使用者を特定化する必要のあるもの，使用方法を適切に表現し使用ミスが起こらないようにするべきものがある。さらに，医療機器特有の問題として，適切なメンテナンスを行わないと故障を起こしうるもの，プログラムを利用する医療機器で汎用通信システムを介する場合に考慮すべきサイバー攻撃など，機器

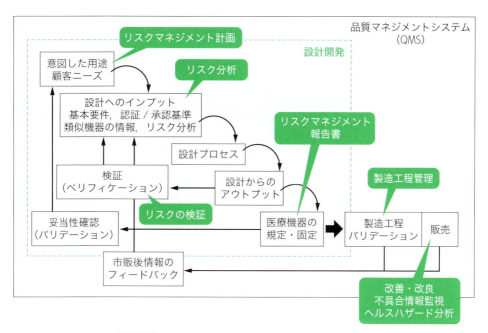

図3-4 製品サイクルにおけるリスクマネジメント

それぞれの特性に応じた起こりうるハザード抽出が必要となる。また，そのようなハザードの原因が，原材料レベルで生じうるのか，製造工程において生じうるのか，作製した製品の出荷・搬送過程で起こりうるのか，さらには医療現場で使用される段階で起こりうるのかなど，医療機器の材料段階から使用される段階に至る過程のどこでそのハザードが生じうるのかの解析も必要となる。例えば，植込み医療機器である人工血管では，特に生体内に長期留置することから，材料としての安全性，および生体内における安定性は必然的に検証する必要があるが，同レベルの評価について，例えば薬液の静脈注射に用いられる針やシリンジで検証する必要はない。それぞれ使用される医療機器の使用方法，リスクにあわせて評価内容を検討すればよい。このようにして検討した内容は，基本要件とかなり類似したものとなることが想定される。

根拠法令，通知等

○医療機器及び体外診断用医薬品のリスクマネジメントに係る要求事項に関する日本産業規格の改正の取扱いについて（令和2年12月24日薬生機審発1224第1号）
○ユーザビリティエンジニアリングの医療機器への適用に関する日本産業規格の制定に伴う医薬品，医療機器等の品質，有効性及び安全性の確保等に関する法律上の取扱いについて（令和元年10月1日薬生機審発1001第1号，薬生監麻発1001第5号）
○医療機器におけるサイバーセキュリティの確保について（平成27年4月28日薬食機参発0428第1号，薬食安発0428第1号）
○医療機器のサイバーセキュリティの確保に関するガイダンスについて（平成30年7月24日薬生機審発0724第1号，薬生安発0724第1号

3-5 医療機器のクラス分類と医薬品医療機器法に基づく必要な手続き

1. 医療機器のクラス分類

医療機器は多種多様であるため，患者に与えるリスクに応じて一般医療機器（クラスⅠ），管理医療機器（クラスⅡ）ならびに高度管理医療機器（クラスⅢとⅣ）に分類されている。クラスⅣは，患者への侵襲性が高く（例えば，脳などの中枢神経系に直接接触する品目，心臓または中心循環系の血管に対して，直接接触して診断，監視，治療を意図する品目），生命の危険に直結するおそれがある品目が該当する。クラスⅡは，不具合が生じた場合でも患者へのリスクが比較的低い品目となり，例えば診断系機器の多くがここに該当する。クラスⅠの品目は，不具合が生じた場合でも患者へのリスクが極めて低い品目が該当し，例えば，体外診断用機器，メスや鉗子など，鋼製小物が該当する。

2. 医薬品医療機器法に基づく必要な手続き

クラス分類ごとに製品を上市させる際に必要な要件は異なっている。リスクの高い高度管理医療機器および認証基準が制定されていない管理医療機器は，医薬品医療機器総合機構（PMDA）による審査が必要で，審査終了時に厚生労働大臣によって承認される。また，リスクの比較的低い医療機器（クラスⅡおよびⅢ）で，認証基準の作成されているものは，登録認証機関による審査が行われ，審査終了後に認証される。最もクラスの低い一般医療機器は，製造販売業者による届出（自己宣言）で製造販売することが可能となる（図3-5）。

各クラスの医療機器ごとに必要な手続きを図3-6に示した（詳細は3-9参照）。

3. 承認申請戦略・計画の策定のポイント

リスクが高く新規性の高い品目において，承認申請する際の戦略と計画を策定するにあたり

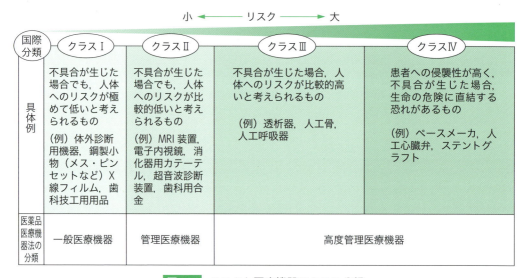

図3-5 リスクと医療機器のクラス分類

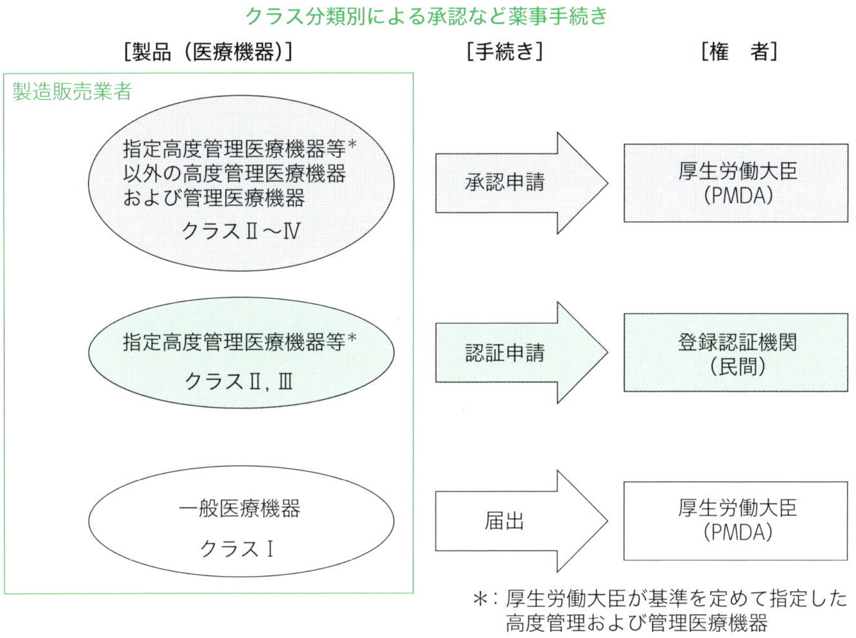

クラス分類別による承認など薬事手続き

```
[製品（医療機器）]                    [手続き]           [権 者]

製造販売業者
┌─────────────────────┐
│  指定高度管理医療機器等＊      │
│  以外の高度管理医療機器       │  →承認申請→  厚生労働大臣
│  および管理医療機器          │              （PMDA）
│  クラスⅡ～Ⅳ              │
│                           │
│  指定高度管理医療機器等＊      │  →認証申請→  登録認証機関
│  クラスⅡ, Ⅲ              │              （民間）
│                           │
│  一般医療機器              │  →届出→     厚生労働大臣
│  クラスⅠ                 │              （PMDA）
└─────────────────────┘
```

＊：厚生労働大臣が基準を定めて指定した高度管理および管理医療機器

図3-6 医療機器を製造販売するために必要な手続き

表3-1 承認申請戦略・計画策定のポイント

承認申請戦略・計画の策定にあたり，考慮しなければならない要素とは？
（例）
- どのような品目なのか？
- どのような点に新規性があるのか？
  ✓ 使用目的，適用疾患
  ✓ 医療技術
  ✓ 医療機器を構成する技術，原材料
  ✓ 上市後の流通方法
- 対象患者，使用者…キーステークホルダーは？
- 市場性（類似機器，類似医療技術の動向など）
- 顧客へのアピールポイント
- 開発から上市までのスケジュール
- 製造工程ごとの製造施設（表示を含む）
- 予算　などなど…

考慮しなければならないポイントを表3-1に示す。承認申請戦略の構築は，設計開発を開始すると同時に行うのが望ましい。その理由としては，どのような新規性があるのか，また顧客へのアピールポイントは何なのかによって，承認申請の方法，臨床試験の要否，また検証内容ならびに承認申請書への記載内容が異なってくるが，これらは設計開発の段階から考慮しておくことが必要になる。

まずはどのような品目で，どのような点に新規性があるのかを考える。対象患者，使用目的

に新規性があるのか。もしくは医療技術など，使用者にとって新規性がある場合，顧客のニーズ把握が重要となり，ステークホルダーの一つとなる医師，学会との連携が重要になってくる場合もありうる。また，製造方法，原材料においての新規性が高い場合，どの施設で製造するのか，また安定供給が得られるのかなどの検討が必要になる。これらの要素を踏まえ，設計開発から上市までの計画とスケジュールを策定する必要がある。

3-6 医療機器の基本要件

1. 基本要件

医療機器の「基本要件」とは，すべての医療機器が備えるべき品質，有効性および安全性に関わる基本的な要件であり，医薬品医療機器法第41条第3項にて規定されている基準である。これは設計へのインプット情報の一つとなり，また製造販売承認/認証申請および製造販売届を行う際は，基本要件への適合性が求められている。また，機器の性状，品質または性能が基本要件に適合しないものは，販売・貸与，もしくは販売・貸与の目的での製造，輸入，貯蔵を禁止されているため，設計開発時点のみならず継続的に適合している必要がある。

> **根拠法令，通知等**
> ○医薬品，医療機器等の品質，有効性及び安全性の確保等に関する法律
> （日本薬局方等）
> 第41条第3項
> ○医薬品，医療機器等の品質，有効性及び安全性の確保等に関する法律第41条第3項の規定により厚生労働大臣が定める医療機器の基準〔平成17年3月29日厚生労働省告示第122号（最終改正 平成26年11月5日厚生労働省告示第403号）〕

基本要件の構成は，第1章「一般的要求事項」（第1～第6条）および第2章「設計及び製造要求事項」（第7～第18条）からなる（表3-2）。

第1章はすべての医療機器に適用される一般的な要求事項であるのに対し，第2章は個別の医療機器により適用される条項が異なる。このため，医療機器ごとに適用/不適用を判断し，適用と判断した条項についての適合性を確認することになる〔例：プログラムを用いていない医療機器については，第12条（プログラムを用いた医療機器に対する配慮）は適用されない〕。

2. 基本要件の改正

医療機器の基本要件は，GHTF〔現在の国際医療機器規制当局フォーラム（International Medical Device Regulators Forum；IMDRF）の前身〕が発行した"Essential Principles of Safety and Performance of Medical Devices"をベースに作成され，2005年4月からわが国へ導入された。その後，2012年に発行されたGHTF文書の最新版に整合させるため，2014年11月5日に基本要件の一部改正が行われた（平成26年厚生労働省告示第403号）。

主な改正点としては，専門的な知識を有しない者が使用する医療機器に対する配慮，使用環

表3-2 基本要件の構成

第1章　一般的要求事項		第2章　設計及び製造要求事項	
第1条	設計	第7条	医療機器の化学的特性等
第2条	リスクマネジメント	第8条	微生物汚染等の防止
第3条	医療機器の性能及び機能	第9条	使用環境に対する配慮
第4条	製品の有効期間又は耐用期間	第10条	測定又は診断機能に対する配慮
第5条	輸送及び保管等	第11条	放射線に対する防御
第6条	医療機器の有効性	第12条	プログラムを用いた医療機器に対する配慮
		第13条	能動型医療機器及び当該能動型医療機器に接続された医療機器に対する配慮
		第14条	機械的危険性に対する配慮
		第15条	エネルギー又は物質を供給する医療機器に対する配慮
		第16条	一般使用者が使用することを意図した医療機器に対する配慮
		第17条	添付文書等による使用者への情報提供
		第18条	性能評価及び臨床試験

境に対する配慮，プログラムを用いた医療機器に対する配慮，添付文書などによる情報提供の明確化などである。

　留意すべき点として，基本要件への適合性は製造販売承認/認証申請または製造販売届のときだけに確認すればよいものではなく，一部改正のように新たな要求事項が発生した際には，通知などに従って，その期限までに最新の基本要件への適合性を確認する必要があることである。

　また，医薬品医療機器法では基本要件に適合しない医療機器は販売，製造などを行ってはならないとされており，基本要件への適合性は医療機器を製造販売するために必要不可欠な要求事項となっている。

> **根拠法令，通知等**
>
> ○医薬品，医療機器等の品質，有効性及び安全性の確保等に関する法律
> （販売，製造等の禁止）
> 第65条
> 　次の各号のいずれかに該当する医療機器は，販売し，賃貸し，授与し，若しくは販売，貸与若しくは授与の目的で製造し，輸入し，貯蔵し，若しくは陳列し，又は医療機器プログラムにあつては電気通信回線を通じて提供してはならない。
> 1　第41条第3項の規定によりその基準が定められた医療機器であって，その性状，品質又は性能がその基準に適合しないもの

3. 基本要件の考え方

基本要件の各条項について簡単に解説する。なお基本要件では，リスクを危険性，ハザードを危害と訳して用いているので注意が必要である。

第1章　一般的要求事項

第1条（設計）
適正に使用された場合において，患者の臨床状態および安全を損なわないよう，使用者および第三者の安全や健康を害することがないよう，設計および製造されていること。

第2条（リスクマネジメント）
安全性を最新技術に立脚して確保すること。また，各危害についての残存する危険性が受容可能な範囲内となるよう危険性を管理すること。

第3条（医療機器の性能及び機能）
医療機器は，意図する性能を発揮できなければならず，医療機器としての機能を発揮できるよう設計および製造されていること。

第4条（製品の有効期間又は耐用期間）
製品の有効期間または耐用期間内において，当該医療機器が通常の使用条件下で使用され，かつ適切に保守された場合に，その特性および性能が患者・使用者・第三者の健康および安全を脅かす程度に劣化による悪影響を受けないこと。

第5条（輸送及び保管等）
医療機器は，製造販売業者等の指示および情報に従った条件のもとで輸送および保管され，かつ意図された使用方法で使用された場合において，その特性および性能が低下しないよう設計，製造および包装されていること。

第6条（医療機器の有効性）
医療機器の意図された有効性と比較した場合，既知または予測することが可能なすべての危険性および不具合が可能な限り低減され，それを受容できること。

第2章　設計及び製造要求事項

第7条（医療機器の化学的特性等）
使用材料選定にあたっての注意事項（化学的特性，生体適合性，物理学的特性への注意）

第8条（微生物汚染等の防止）
感染および微生物汚染の危険性の除去または低減，ならびに動物・ヒト・微生物由来組織等を用いる場合の要求事項

第9条（使用環境に対する配慮）
他の医療機器等と併用する場合に必要な要件，ならびに使用環境における危険性の除去または低減

第10条（測定又は診断機能に対する配慮）
測定または診断機能を有する医療機器もしくは分析機器に対する要求事項（正確性，精度，

安定性など)

第11条(放射線に対する防御)
　適正水準の放射線の照射確保,ならびに患者などへの放射線被曝の低減

第12条(プログラムを用いた医療機器に対する配慮)
　プログラムを用いた医療機器の再現性,信頼性および性能の確保,ならびに開発のライフサイクルを考慮にいれた検証

第13条(能動型医療機器及び当該能動型医療機器に接続された医療機器に対する配慮)
　能動型医療機器に対する要求事項(危険性の除去または低減)

第14条(機械的危険性に対する配慮)
　動作抵抗,不安定性および可動部分に関連する機械的危険性に対する要求事項(患者・使用者・第三者の防護)

第15条(エネルギー又は物質を供給する医療機器に対する配慮)
　患者および使用者の安全保障に対する要求事項(供給エネルギーまたは物質が患者に及ぼす危険性に対する防護)

第16条(一般使用者が使用することを意図した医療機器に対する配慮)
　自己検査医療機器または自己投薬医療機器などに対する要求事項(一般使用者である患者に及ぼす危険性に対する防護)

第17条(添付文書等による使用者への情報提供)
　添付文書等による安全な使用方法など必要な情報の提供

第18条(性能評価及び臨床試験)
　性能評価試験,臨床試験,製造販売後調査など必要なデータを収集するときに基づくべき要求事項

4. 基本要件の適合性確認

①基本要件をうまく活用しよう

　医療機器の設計をするときに,類似する医療機器の設計の経験がないと,その有効性,安全性および品質を確認していくポイントがはっきりわからない場合も多い。このような場合には,基本要件をうまく活用して確認するポイント,すなわちその医療機器に求められる要求事項を設定していく。

②もれなく確認しよう

　基本要件は,大きく2つに分けられる。第1章はすべての医療機器に求められる基本的な事項である。ここにあげられている条項についてはもれなく確認する必要がある。第2章は医療機器固有の設計・製造要求事項になる。開発する医療機器の特性に応じて適用となる条項を選択して適切に確認していく。

③確認の方法

基本要件の各条項に対する適合性の確認は，「適合の方法」および「特定文書の確認」により行う。

　まず，開発品目についてそれぞれの条項が適用となるか不適用であるかを判断する。不適用となる場合には不適用と判断する理由を明らかにしておく必要がある。適用と判断した条項については，「適合の方法」として，どのような方法で条項への適合を確認するかを考える。このとき，「特定文書の確認」として，適合を判断する水準をあわせて考えることになるが，公表されている日本工業規格（JIS）や国際規格，ガイダンスなどが使用できるか確認するとよい。使用できる規格や基準がない場合には，条項への適合を確認するための試験方法などを説明したうえで試験結果が条項への適合と判断できる説明も示しておく必要がある。

　各条項への適合性確認作業のアウトプットは「基本要件適合性チェックリスト」を活用してまとめていくとよい。参考資料として基本要件適合性に関するチェックリストの雛形がPMDAのホームページで公表されている（図3-7）。各条項への適合は，設計の途中で確認し，設計終了時には必要事項が埋められたか確認しておくとよい。なお，認証基準や承認基準がある場合には，通知により基本要件適合性チェックリストが定められている品目も多いので参考にすべきである。

> 根拠法令，通知等
> ○医療機器に係る基本要件適合性チェックリストについて（令和3年8月18日薬生機審発0818第1号）

基本要件適合性チェックリスト			
第一章　一般的要求事項			
基本要件	当該機器への適用・不適用	適合の方法	特定文書の確認
（設計） 第一条　医療機器（専ら動物のために使用されることが目的とされているものを除く。以下同じ。）は，当該医療機器の意図された使用条件及び用途に従い，また，必要に応じ，技術知識及び経験を有し，並びに教育及び訓練を受けた意図された使用者によって適正に使用された場合において，患者の臨床状態及び安全を損なわないよう，使用者（当該医療機器の使用に関して専門的知識を要する場合にあっては当該専門的知識を有する者に限る。以下同じ。）及び第三者（当該医療機器の使用に当たって安全や健康に影響を受ける者に限る。第四条において同じ。）の安全や健康を害することがないよう，並びに使用の際に発生する危険性の程度が，その使用によって患者の得られる有用性に比して許容できる範囲内にあり，高水準の健康及び安全の確保が可能なように設計及び製造されていなければならない。			

図3-7　基本要件基準に関するチェックリスト雛形

（PMDAホームページ（https://www.std.pmda.go.jp/stdDB/Data/InfData/Infetc/Form3_md.doc）より）

④申請資料への反映

　基本要件の各条項への適合性を確認した資料は，承認／認証申請資料の添付資料として提出することになる。公表されている基本要件適合性チェックリストに加えて，適合性を確認した資料が申請資料中のどこにあるかを備考欄に示した一覧表として作成する。

　また，基本要件基準への適合は，申請者の自己宣言事項にも含まれるため，申請者の組織内で適合性確認した結果を承認するプロセスが必要になる。

　基本要件については，本章末の承認基準の記載部分で具体的な解説を加えるので参照するとよい。

> **根拠法令，通知等**
> ○医療機器の製造販売認証申請書添付資料の作成に際し留意すべき事項について（平成27年2月10日薬食機参発0210第1号）

3-7 医療機器開発に必要な安全性・有効性に関する試験と評価

　設計へのインプット情報をもとに，医療機器の検証を実施していくなかで，安全性および有効性に関する試験としてどのような項目を検証して評価を行うべきなのか考える。

　具体的な検証項目は，表3-3のように大別できる。

表3-3 安全性・有効性に関する試験で検証する項目

1. 当該製品の安全性を担保する項目
2. 当該製品の性能を担保する項目
3. 当該製品の医療上の有用性を担保する項目
4. その他

1. 安全性を担保する試験項目

　医療機器の安全性試験は，血液，組織ならびに体液接触が想定される材料が主体の品目と，電気や物理的作動原理を主体とした医用電気機器とで試験項目が大別される。これらの安全性試験項目は，基本要件とも連動している。安全性試験項目について表3-4に示す。

①生物学的安全性試験

　材料系の医療機器では，当該製品の使用される条件（血液，組織ならびに体液接触が，どの部位でどの程度の時間接触するか）によって，適切な項目を選択するようにJISにおいて定められている〔JIS T 0993-1：医療機器の生物学的評価（ISO 10993-1）〕。医療機器には，例えば救急絆創膏のような健常な皮膚表面に使用されるものから，人工血管のような体内の病的

> **表3-4** 安全性試験項目
>
> 1. **生物学的安全性（生体適合性）**
>   血液，体液などに直接または間接に接触する医療機器にあっては，生物学的安全性に関する評価を行う（参考基準：JIS T 0993-1，ISO 10993-1）。
> 2. **電気的安全性および電磁両立性**
>   電気を用いた能動型医療機器における，電気的安全性および電磁両立性に関する評価。
> 3. **耐久性**
>   繰り返して使用する品目における，繰り返し使用による耐久性の評価。
> 4. **安定性**
>   設定した有効期限までは安定であることの評価など。

な組織に移植されるものまである。さらに移植材料については，異物として永久に留置されるものから，ある程度の期間後には生体内で分解吸収されるものまで，使用される材料は多種多様である。このような多種多様な材料および多種多様な使用目的があるため，その使用目的と生物学的リスクに適した評価を行う必要がある。JIS T 0993-1に規定される生物学的安全性評価で考慮すべき項目を表3-5に示す。表中の「E」は生物学的安全性試験実施を意味するのでなく，評価すべきポイント（エンドポイント）を意味する。生物学的安全性評価の進め方は，図3-8を参考にするとよい。なお，ときに誤解が生じることがあるが，ここで行う試験は，材料本体を埋め込みその周囲組織の炎症を確認する埋植試験を除くと，JISで定められた試験は材料の抽出液を用いる試験である。吸収性材料などの新規材料を用いる場合には，その結果解析を慎重に行う必要がある。試験実施前にPMDAの相談を利用することも，効率的な試験を組む一つの方法と考えられる。

また医療機器に用いる材料が，すでに同程度の接触部位と接触時間を想定した医療機器に使用されているなどの前例がある場合，すでに生物学的安全性に関する試験がされていることになるため，特に改めて試験を実施する必要がない場合がある。その場合，使用前例から生物学的安全性に対する評価を行い記録しておくことが必要になる。

> **根拠法令，通知等**
> ○医療機器の製造販売承認申請等に必要な生物学的安全性評価の基本的考え方についての改正について（令和2年1月6日薬生機審発0106第1号）
> ○医療機器の製造販売承認申請等に必要な生物学的安全性評価の基本的考え方に関する質疑応答集（Q&A）について（その2）（令和2年1月6日薬生機審発0106第4号）

②**電気的安全性および電磁両立性試験**

電気を用いた能動型医療機器では，電気的安全性および電磁両立性に関する試験が必要になる。電気的安全性試験はJIS T 0601-1（IEC 60601-1）で規定されている電気的安全性試験，また電磁両立性は，JIS T 0601-1-2（IEC 60601-1-2）で規定されている電磁両立性試験や通知を参照して検討する。

「医療機器の電磁両立性に関する日本工業規格の改正の取扱いについて」にJIS改定に伴う経

表3-5 生物学的安全性評価で考慮すべき評価項目

接触期間（累積）: A：一時的接触（24時間以内） B：短・中期的接触（24時間を超え30日以内） C：長期的接触（30日を超える）			物理学的・化学的情報	細胞毒性	感作性	刺激性/皮内反応	材料由来の発熱性a	急性全身毒性b	亜急性全身毒性b	亜慢性全身毒性b	慢性全身毒性b	埋植b,c	血液適合性	遺伝毒性d	がん原性d	生殖発生毒性d,e	生分解性f
非接触医療機器																	
表面接触医療機器	皮膚	A	要g	Eh	E	E											
		B	要	E	E	E											
		C	要	E	E	E											
	粘膜	A	要	E	E	E											
		B	要	E	E	E		E	E				E				
		C	要	E	E	E		E	E	E	E	E	E	E			
	表面損傷	A	要	E	E	E	E	E									
		B	要	E	E	E	E	E	E				E				
		C	要	E	E	E	E	E	E	E	E	E	E	E	E		
体内と体外とを連結する医療機器	間接的血液流路	A	要	E	E	E	E	E					E	E			
		B	要	E	E	E	E	E	E				E	E			
		C	要	E	E	E	E	E	E	E	E	E	E	E	E	E	
	組織/骨/歯質i	A	要	E	E	E	E	E						E			
		B	要	E	E	E	E	E	E			E		E			
		C	要	E	E	E	E	E	E	E	E	E		E	E	E	
	血液循環	A	要	E	E	E	E	E					E	Ej			
		B	要	E	E	E	E	E	E			E	E	E			
		C	要	E	E	E	E	E	E	E	E	E	E	E	E	E	
インプラント	組織/骨i	A	要	E	E	E	E	E				E		E			
		B	要	E	E	E	E	E	E			E		E	E		
		C	要	E	E	E	E	E	E	E	E	E		E	E	E	
	血液	A	要	E	E	E	E	E				E	E	E			
		B	要	E	E	E	E	E	E			E	E	E			
		C	要	E	E	E	E	E	E	E	E	E	E	E	E	E	

a：ISO 10993-11 Annex F 参照
b：十分な動物数や評価項目が含まれるなど，適切な評価が行われている場合，埋植試験において得られた情報から急性全身毒性，亜急性全身毒性，亜慢性全身毒性及び慢性全身毒性を評価できることもある。それ故，急性全身毒性，亜急性全身毒性，亜慢性全身毒性及び慢性全身毒性を評価するための試験は必ずしも別の試験として行う必要はない。
c：適切な埋植部位を考慮する必要がある。例えば，正常な粘膜と接触する医療機器は，理想的には正常な粘膜と接触させた試験・評価を行うとよい。
d：医療機器が発がん性，変異原性，並びに生殖毒性を有することが知られている化学物質を含む場合には，リスクアセスメントにおいて検討する。
e：新規材料，生殖／発生毒性を有することが公知となっている材料，生殖／発生毒性と関係の深い患者集団（例えば妊婦）に適用する医療機器，並びに構成材料が生殖器官に局所的に使用する可能性のある医療機器については，生殖／発生毒性の評価を考慮することが望ましい。
f：構成部材や構成材料が患者の体内に残留し，生体内で分解する可能性がある医療機器については，生体内分解性に関する情報を示すことが望ましい。
g：「要」はリスクアセスメントに先立って必要となる情報を意味する。
h：「E」はリスクアセスメントにおいて評価すべきエンドポイントを意味する。リスクアセスメントには，既知の毒性情報を用いた評価，エンドポイントに示された生物学的安全性試験の実施，試験を省略する場合にはその妥当性を説明することが含まれる。医療用途として未使用の新規材料が使用されている場合で，かつ，文献などで毒性情報が得られない場合には，「E」と記されていないエンドポイントについても評価の対象に加える必要がある。医療機器の特性によっては，示されたエンドポイント以外も評価対象とすることが適切な場合があるとともに，それとは逆に示されたエンドポイントよりも少ない項目が適切なこともある。
i：組織液や皮下も組織に含める。間接的接触のみを伴うガス回路に用いる医療機器や部材については，その機器に固有の規格（ISO 18562-1）を参照すること。
j：体外循環装置に使用される全ての医療機器

〔厚生労働省「医療機器の製造販売承認申請等に必要な生物学的安全性評価の基本的考え方についての改正について」（令和2年1月6日薬生機審発0106第1号）より〕

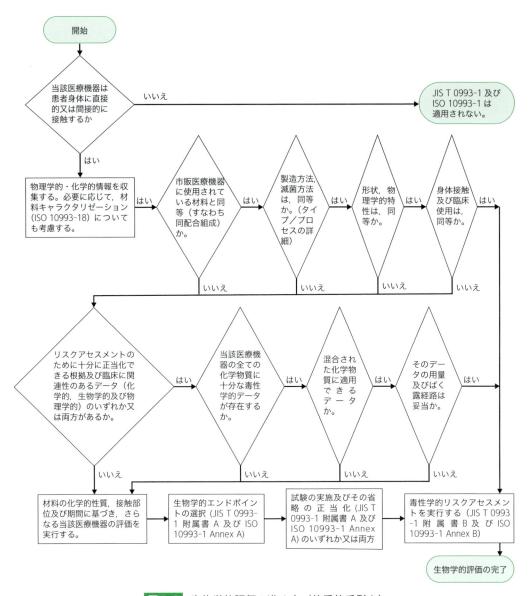

図3-8 生物学的評価の進め方（体系的手引き）
〔厚生労働省「医療機器の製造販売承認申請等に必要な生物学的安全性評価の基本的考え方についての改正について」（令和2年1月6日薬生機審発0106第1号）より〕

過措置などが記載されているので，よく確認する必要がある。

> **根拠法令，通知等**
> ○医療用具の承認申請書に添付すべき電気的安全性に関する資料の取扱い等について（平成12年3月30日医薬審第545号）
> ○医療機器の電磁両立性に関する日本工業規格の改正の取扱いについて（平成30年3月1日薬生機審発0301第1号）（抜粋）

> 1. 基本要件基準第13条第5項及び第6項への適合性確認の基本的な考え方について
>   (1) 2023年2月28日（以下「経過措置期間終了日」という。）以前に製造販売される医療機器については，旧規格又は新規格のいずれかへの適合をもって基本要件基準第13条第5項及び第6項への適合を確認したものとすること。
>   (2) 経過措置期間終了日の翌日以降に製造販売される医療機器については，新規格への適合をもって基本要件基準第13条第5項及び第6項への適合を確認したものとすること。
>   (3) 新規格の他，体内植込み型医用電気機器等のように国際的に用いられている電磁両立性に係る適切な規格等がある場合については，それらの規格への適合性を確認することをもって基本要件基準第13条第5項及び第6項への適合を確認したこととして差し支えないこと。ただし，承認申請又は認証申請（承認事項一部変更承認申請及び認証事項一部変更認証申請を含む。）に際しては，それらの規格を用いることの妥当性を説明し，それらの規格への適合性を示す資料を添付すること。

③ 耐久性試験

繰り返して使用する品目では，繰り返し使用による耐久性の評価が必要になる。また，植込み型医療機器では，体内にて長期間物理的に稼働することに対する耐久性試験が必要になる。例えば，植込み型心臓ペースメーカ用リードにおける繰り返し曲げ試験などがある。

再滅菌を行って使用することを前提とする医療機器の場合は，使用状況を勘案して滅菌条件において繰返し滅菌したときの耐久性についても検討する。

④ 安定性試験

例えば滅菌医療機器，ディスポーザブル製品などの場合，長期経過後の使用に対する安定性が保証できない場合は，使用期限（有効期限）の設定が必要になるが，設定した有効期限までは安定であることの評価が必要になる。また，保管条件によって製品の安定性に影響を与えるおそれがある場合は，適切な保管方法を設定し表示することが重要となるため，その表示事項に対する検証が必要になる。

2. 性能（機能）確認試験

使用目的または効果を実現するために，申請品目に求められる性能（機能）が期待どおりに発揮できるのか評価が必要になる。

性能確認試験は医療機器の品目によって種々検討すべき事項が異なり，一律にこのような評価を行うべきとはいえないところがある。開発品目の性能確認にあたって参考とすべきは，すでに広く使用されている医療機器であれば，承認申請で用いられる各種基準（承認基準，認証基準，ISOなど）があり，一部の製品については評価すべき項目に関する通知が発出されている事例もある（ステント通知など）。多くの医療機器は改良・改善の品目が多いことから，このような基準，通知などを参考にして当該品目の評価項目を立てていけばよい。

> 根拠法令,通知等
> ○冠動脈ステントの承認申請に係る取扱いについて(平成15年9月4日薬食審査発第0904001号)【ステント通知】
> ○レーザ医療機器の承認申請の取扱いについて(平成28年6月29日薬生機審発0629第4号)

3. 承認基準,認証基準

医療機器の性能および安全性を裏付ける試験項目の具体例は,販売実績のある品目はすでに作成されている各種承認基準,審査ガイドラインを参照するとわかりやすい。

①承認基準

承認基準は,その基準への適合性を確認することによって承認審査を行う医療機器に関する基準であり,その基準への適合性確認によって審査の迅速化が可能になるために作成された。承認基準は,国際基準などを引用した技術基準と基本要件基準からなり,臨床試験成績に関する資料の添付が不要な後発医療機器となる範囲の品目について定められている。主として,「適用範囲」,「技術基準:性能,機能,有効性に関する項目など」,「使用目的,効能または効果」で構成されている。これに品目ごとに定める基本要件の適合性チェックリストがあわせて作成されている品目もある。

検討中の開発品目が,すでに承認基準の対象品目であれば,承認基準を参考に試験内容を検討すればよい。また,基準対象ではない品目であっても,用途・構造などが類似の品目の承認基準を参照して行うべき試験項目を考えればよい。

②審査ガイドライン

審査ガイドラインは,承認基準ほど技術的な内容が定まった品目でない場合に作成されており,企業とPMDAとの合意の範囲で構成されている特定の品目の審査に使用されるものである。ガイドラインが作成されている品目の場合は,これを参考にして承認申請に必要な検証の実施が必要である。

③認証基準

認証基準は,指定管理医療機器,ならびに指定高度管理医療機器の認証審査において使用される個別品目基準である。承認基準と同様に,「適用範囲」,「技術基準(原則JIS)」,「使用目的,効能または効果」により構成され,承認基準と同様に基本要件の適合性チェックリストがあわせて作成される。

④その他

品目審査に関する基準としては,医薬品医療機器法第42条第2項に基づく厚生労働省告示による医療機器の品質等に関する基準があり,当該品目では基準への適合性が必須として求め

られるため要注意である。例えばヒト由来，動物由来などの生物由来の原料を用いるときに求められる「生物由来原料基準」（平成15年5月20日厚生労働省告示第210号）などがある。

　承認基準，認証基準，審査ガイドラインの説明，作成方法および具体的な基準などは，PMDAのホームページ（トップ＞審査関連業務＞承認審査業務（申請，審査等）＞審査等について＞医療機器＞大臣承認の医療機器の審査＞各種関連通知）の個別案件で（承認基準）および（審査ガイドライン）を参照できる。

4. 承認基準を事例とした非臨床試験および基本要件の考え方

　承認基準は，当該製品の性能，機能などに加えて，構造上想定されるリスクを回避するための種々の評価項目を掲げてその確認を行うことを意図して作成されている。ここでは，経皮的血管形成術用（PTCA）バルーンカテーテル承認基準を具体的な事例とし，その技術基準を中心に技術評価項目を概説する。

図3-9　PTCAバルーンカテーテル構成図

　PTCAバルーンカテーテルは，動脈硬化により狭窄を起こしている冠動脈内に挿入し，狭窄部位においてバルーンを拡張して狭窄した冠動脈を拡張し冠動脈における血流を確保する目的で使用される（図3-9）。先端部にバルーンが搭載されており，本カテーテルは拡張するバルーン，バルーンを目的部位に送達するカテーテル，バルーンを拡張させるための加圧シリンジなどと接続するハブで構成されている。また，この目的で使用されるため，血管内で使用可能となるために生体適合性が評価された材料で構成され，冠動脈まで送達させるために追随性のよいカテーテルシャフト，先端部分においては血管内の抵抗を減らすためにすべり性の向上を目的としたコーティング，期待どおりに安定した拡張をするバルーン，バルーンの位置を確認するためのX線不透過のマーカーなど，部品ごとに必要な要件が定まってくる。

　これらの要件を承認基準として明確に定めており，表3-6に具体的に示す。あわせて基本要件基準に該当する部分を引用して，基本要件との関連性について整理をしたので参照されたい。なお，基本要件は複数部分が該当する場合があるため，表の内容はその例として列記している。

根拠法令，通知等
○経皮的血管形成術用カテーテル承認基準の制定について（平成19年3月2日薬食発第0302014号）
別添2
経皮的血管形成術用カテーテル承認基準

表3-6 PTCAバルーンカテーテルの承認基準

承認基準における要件	基本要件の該当例
①カテーテルの仕様（性能・機能・有効性）に関する項目 ・一般的要求事項：滅菌済みのものにあっては，無菌性が担保されていること。	第8条 微生物汚染等の防止
・生物学的安全性：ISO10993シリーズに準拠して生物学的安全性の評価を行う。カテーテルが一時的に血管内で使用されることから，ISO10993より，接触部位は「体内と体外とを連結する機器」の循環血液となり，そのうち接触期間としてＡ：一時的を選択する。この場合，細胞毒性，感作性，刺激性／皮内反応，急性全身毒性，発熱性，血液適合性に関する評価が必要になる。	第7条 使用材料の選択にあたって考慮すべき事項
・表面：外表面の異常がないことを目視で確認し，血管中への異物混入，血管へ外傷を与えることのないことを確認する。	第6条 予測可能な危険性を低減すること
・腐食抵抗性：カテーテルに金属が使用され，その部位が一般的な使用方法によって間接的または直接的に血液と接触する場合，既承認品と同等以下の腐食であることを確認することによって，金属腐食による血液への影響が問題ないことを確認する。	第7条 使用材料の選択にあたって考慮すべき事項
・カテーテルシャフトの強度：体内に挿入される部分および体外にあっても不具合が生じた場合に重大な危険が生じる恐れのある接合部分について引張強度または破断強度を評価する。	第6条 予測可能な危険性を低減すること
・気密性・反復バルーン拡張操作性：バルーン拡張が通常使用時に破裂，漏れ，破断を生じない強度であることを，バルーン拡張を繰り返すことにより確認する。	第6条 予測可能な危険性を低減すること
②ハブ ・加圧に使用するシリンジとの嵌合に支障を生じない規格に適合する。	第9条 併用する医療機器との規格整合
③Ｘ線不透過性 ・カテーテルが体内にあるときに，バルーンの位置が確認できることを確認する。	第9条 使用にあたっての危険性を低減すること
④公称サイズの設計 公称サイズは，以下に従って設計する。 ・カテーテルの外径 ・カテーテルの有効長 ・その他：推奨バルーン拡張圧，バルーン有効長，ガイドワイヤー使用のカテーテルにあっては，最大ガイドワイヤー径	第9条 併用する医療機器との規格整合
⑤チップ構造 ・遠位端のチップは，血管に対する損傷を最小限にするための処理がされていること。	第9条 使用にあたっての危険性を低減すること
⑥製造販売業者から提供される情報 ・法定表示事項以外に，製品に関する決められた情報を提供する。	第17条 添付文書による情報提供
⑦その他 以下の点などを考慮し，既承認品との比較を行うときに同等性が確認されていること。（形状によって異なる） ・コーティング：製品表面にコーティングされている場合は，場所の明確化とコーティングにより期待できる効果の評価を実施。さらに，使用上のリスク（コーティングはがれなど）に関わる評価も実施する。 ・バルーン最小破裂強度 ・バルーンコンプライアンス ・バルーン拡張／収縮性能 ・バルーンプロファイル ・バルーン準備の容易性 ・先端接合部強度	第9条 使用にあたっての危険性を低減することなど

5. 承認基準事例におけるリスク分析とリスクマネジメントの考え方

前述したように，医療機器の設計開発では，開発製品のリスク分析を行い，リスクマネジメントを反映した製品としていく必要がある。設計開発のどのような段階でリスク分析，リスクマネジメントを行うかは，図3-4に示した。本項では，リスク分析，リスクマネジメントについて，より詳しく説明する。

はじめに，製品固有のリスク抽出を行う必要がある。開発企業ごとに製品のリスクレベルに対する考え方に相違があるが，ここではリスクの抽出とそのリスク軽減の方法について述べる。

まず，受容可能なリスクレベルを規定する必要がある。また，企業によって型式は異なると思われるが，開発製品のリスク抽出に用いるハザードマトリックスの一例を表3-7に示す。ハザードマトリックスは，想定されるハザードおよびその要因が，その材料設定から製造，使

表3-7 ハザードマトリックスの例

	使用状況・形態	原材料 A	製造 B	出荷・運搬 C	保管 D	使用 E
		購入／輸送	製品製造	出荷試験	製造場所	病院
		法規制	原材料製造	梱包	倉庫	患者の容態
	ハザードおよび関連する要因	化学物質	工程検査	積み込み	代理店	
		受入検査	製造委託	運搬手段	病院	
1	エネルギーのハザードおよび関連要因	機械的な圧力				
2		振動，磁場				
3	生物学的なハザードおよび関連する要因	生物的汚染				
4		生体内埋植による物理化学的変化				
5		間違った成分組成				
6		生物学的不適合				
7		不具合・有害事象				
8		衛生上の安全を維持できない				
9	環境的なハザードおよび関連要因	異物混入				
10		併用を意図した他の機器との不適合性				
11	医療機器の使用に関連するハザードおよび関連要因	不適切なデザインによる折れなど				
12		再使用および／または不適切な再使用				
13	不適切，不十分または複雑すぎるユーザーインターフェース	勘違いおよび判断の間違い				
14		指示，手順などの違反または省略				
15	機能的故障，保守等によってもたらされるハザードおよび関連する要因	不適切な梱包（医療機器の汚染，劣化）				
16		製造条件逸脱				
17	その他	逸脱（外観・寸法不良など，規格外など）				

用に至る過程のどの段階で生じうるのかをマッピングし，それぞれのハザードに対する具体的な対応策を講じて，それによりリスクの低減が図られることを，データにより実証するために使用されるものである。

　PTCAバルーンカテーテルを例にすると，閉塞しつつある血管を拡張するためのバルーンは，適切な方法により拡張すべき血管部位までバルーンが到達され，所定の圧力により必要な径まで閉塞血管が拡張され，拡張後は速やかに血管から抜去される必要がある。想定される不具合として，血管拡張時においては血栓形成により末梢側の閉塞を起こすことがあってはならず，また過拡張による血管損傷もあってはならない。

　ハザード分析の結果，次のような対応案が考えられる。

①材料選択：直接血液と接触する部位に使用されるため，血液の血栓形成を高めない材質の選択が必要である。

②構造：バルーンは所定の圧力により拡張され，閉塞しつつある動脈内径を拡張しうる径まで膨らませる必要がある。拡張するための内圧に耐え，内圧がかかると速やかに拡張し，血管拡張終了後にはバルーン抜去に支障が出ないように，速やかに折りたたまれる構造が必要である。

③また，拡張部位までのバルーンの搬送，拡張後の抜去などに関しては，適切な取り扱い，使用方法について，添付文書などに明確に記載されている必要がある。

6. 医療上の有用性試験

　医療上の有用性を示すためには，基本的には治験により患者を用いた臨床試験が必要になる。承認申請にあたって臨床試験データが必要な範囲については通知が発出されている。

> **根拠法令，通知等**
> ○医療機器に関する臨床試験データの必要な範囲等について（平成20年8月4日薬食機発第0804001号）

　治験を必要とする医療機器は，医療機器の臨床上の有効性，安全性が性能試験，動物試験などの非臨床試験成績または既存の文献などのみでは評価できない場合である。さらに，個々の医療機器の特性，既存の医療機器との同等性，非臨床試験の試験成績などにより総合的に判断され，性能，構造などが既存の医療機器と明らかに異なる医療機器（新医療機器）に該当する場合は，承認申請にあたり臨床に関する資料が必要になる。

　治験の要否については，基本的には品目ごとの確認が必要と認識しておく必要がある。動物実験などの非臨床試験，さらには同じ医療機器を用いた論文により医療上の有用性を示すことが可能であれば必ずしも治験を行う必要はないと考えることもできる。この意味において，動物モデルを用いた非臨床試験は重要である。例えば，植込み型医療機器のような品目では長期の経過期間の観察を行わないと開発製品の機能評価が十分にできない場合もあるが，すべてを治験で観察することは困難であり，臨床におけるヒトを想定した動物モデルを用いた実験で臨床上の有用性検証を行う必要が出てくる場合も多々ある。

7. 臨床試験データ添付の要否

　承認申請において，臨床試験の試験成績に関する資料の必要な範囲について大原則を表3-8に示す。これらのほかに，医療機器が表3-9に示す機械器具等に該当する場合は治験が必要となる。ここで，「治験」とは，医療機器の製造販売承認申請の際に提出すべき資料のうち，臨床試験の試験成績に関する資料の収集を目的とする試験をいう。治験は，医療機器GCPを遵守し実施しなければならない。通知などで治験の要否が明示されている品目群（医療機器群）もある。治験の要否を示す個別の主たる通知としては，「レーザ手術装置の承認申請に際し添付すべき臨床試験の試験成績に関する資料の取扱いについて」，「整形インプラント製品の承認申請に際し添付すべき臨床試験の試験成績に関する資料の取扱いについて」および治験の要否判断が示されている承認基準などがある。

　平成29年には，医療機器の特性を踏まえて治験に関するガイダンスが検討・公表され，市販前・市販後を通じた取組みを踏まえた対応として製造販売承認申請時の提出資料を考えることとする通知が示された。また，臨床評価指標を示す個別通知としては，「次世代医療機器評価指標の公表について」や「冠動脈ステントの承認申請に係る取扱いについて」などがある。

表3-8　臨床試験に関する資料の必要な範囲の大原則

大原則1
　医療機器の臨床上の有効性および安全性が，性能試験，動物試験などの非臨床試験成績または既存の文献などのみでは評価できない場合については，治験が必要となる。
大原則2
　治験の要否は個々の医療機器の特性，既存の医療機器との同等性，非臨床試験の試験成績などにより総合的に判断される。なお，その性能，構造などが既存の医療機器とは明らかに異なる医療機器（新医療機器）については，原則として治験が必要となる。

表3-9　治験が必要となる機械器具等

1. 旧再審査（使用成績評価）期間を経過していないものと構造，使用方法，効果および性能などが同一の機械器具等
2. 生物由来製品となることが見込まれる機械器具等
3. 遺伝子組換え技術を応用して製造される機械器具等

　いずれにしても総合的な判断が必要となる。そのため，PMDAの対面助言（相談）制度（臨床試験要否相談または各評価相談，レギュラトリーサイエンス戦略相談）を活用して判断することが有効である。

根拠法令，通知等

○医療機器に関する臨床試験データの必要な範囲等について（平成20年8月4日薬食機発第0804001号）
○レーザ手術装置の承認申請に際し添付すべき臨床試験の試験成績に関する資料の取扱い

について（平成20年11月28日薬食機発第1128001号）
○整形インプラント製品の承認申請に際し添付すべき臨床試験の試験成績に関する資料の取扱いについて（平成20年10月8日薬食機発第1008001号）
○医療機器の「臨床試験の試験成績に関する資料」の提出が必要な範囲等に係る取扱い（市販前・市販後を通じた取組みを踏まえた対応）について（平成29年11月17日薬生機審発1117第1号，薬生安発1117第1号）
○医療機器の迅速かつ的確な承認及び開発のための治験ガイダンスの公表について（平成29年11月17日事務連絡）
○次世代医療機器評価指標の公表について（平成20年4月4日薬食機発第0404002号）
○冠動脈ステントの承認申請に係る取扱いについて（平成15年9月4日薬食審査発第0904001号）【ステント通知】

　治験の届出を要する医療機器については，医薬品医療機器法施行規則に規定されている（下線部）。

根拠法令，通知等
○医薬品，医療機器等の品質，有効性及び安全性の確保等に関する法律施行規則
（機械器具等に係る治験の届出を要する場合）
第274条
1. 既に製造販売の承認又は認証を与えられている医療機器と構造，使用方法，効能，効果，性能等が異なる機械器具等（既に製造販売の承認又は認証を与えられている医療機器と構造，使用方法，効能，効果，性能等が同一性を有すると認められるもの，人の身体に直接使用されることがないもの，法第23条の2の12第1項に規定する医療機器並びに法第23条の2の23第1項に規定する高度管理医療機器及び管理医療機器その他これらに準ずるものを除く。）
2. 既に製造販売の承認又は認証を与えられている医療機器と構造，使用方法，効能，効果，性能等が明らかに異なる医療機器として製造販売の承認を与えられた医療機器であってその製造販売の承認のあった日後法第23条の2の9第1項に規定する調査期間（同条第2項の規定による延長が行われたときは，その延長後の期間）を経過していないものと構造，使用方法，効能，効果，性能等が同一性を有すると認められる機械器具等
3. 生物由来製品となることが見込まれる機械器具等（前2号に掲げるものを除く。）
4. 遺伝子組換え技術を応用して製造される機械器具等（前各号に掲げるものを除く。）

3-8 設計検証を始めるにあたっての注意

1．データの信頼性

　医療機器の開発に限らず，科学実験の結果得られたデータはその信頼性が重要となる。ま

ず，信頼性のある試験であり，試験の目的，試験の条件（環境含む），試験の方法が明確で使用する資料の履歴が明らかであること，さらには得られたデータが意図的に加工されたものではないことが重要となる。

①製造販売承認申請と申請資料の信頼性

承認申請に提出する資料およびそれに用いるデータに関して，臨床試験はGCP（Good Clinical Practice）に，非臨床試験の生物学的安全性試験はGLP（Good Laboratory Practice）に基づき実施しデータの信頼性を確保しなければならない。これらは定められた組織（責任体系）のもと，定められた手順書とあらかじめ定めた計画書に従って試験を実施し，定められた記録の取り方でデータを収集し，採取したデータを定められた方法で保管することが求められている。

> **根拠法令，通知等**
> ○医療機器の安全性に関する非臨床試験の実施の基準に関する省令〔平成17年3月23日厚生労働省令第37号（最終改正 平成20年6月13日厚生労働省令第115号）〕【医療機器GLP省令】
> ○医療機器の安全性に関する非臨床試験の実施の基準に関する省令の施行について（平成17年3月31日薬食発第0331038号）
> ○医療機器の安全性に関する非臨床試験の実施の基準に関する省令の一部を改正する省令の施行について（平成20年6月13日薬食発第0613010号）
> ○医療機器の臨床試験の実施の基準に関する省令〔平成17年3月23日厚生労働省令第36号（最終改正 平成28年7月21日厚生労働省令第128号）〕【医療機器GCP省令】
> ○「医療機器の臨床試験の実施の基準に関する省令」のガイダンスについて（平成25年2月8日薬食機発0208第1号）
> ○「医療機器の臨床試験の実施の基準に関する省令」のガイダンスについての一部改正等について（平成25年4月4日薬食機発0404第1号）
> ○「医療機器の臨床試験の実施の基準に関する省令」のガイダンスについての一部改正等について（令和2年8月31日薬生機審発0831第12号）

さらに，生物学的安全性試験以外に該当する非臨床試験（物理的・化学的特性，性能など）については，承認申請に添付する資料の信頼性基準に適合していることが求められる。

その根本は，資料（データ）の正確性，完全性，網羅性と所定の期間の保存性である。その信頼性を申請者自ら保証するには，計画から申請資料作成までの記録を，一連の作業に関わらない組織の人間が，その作業の妥当性，正確性や記録間の整合性を確認（監査）することで最終的に担保することが必要になる。もちろん，その組織や方法も事前に定め，その記録も信頼できる方法で残すことが重要である。

②信頼性の基本的な考え方

医薬品医療機器法およびその施行規則では，非臨床安全性試験および治験以外に相当する試験と申請資料について，どのようにして信頼性を確保するかの基本的な考え方が規定されている。その規定を大別すると，3つの考え方からなる（**表3-10**）。

■ **正確性**

文書間の整合性があり，転記ミスなどがないこと。

■ **完全性および網羅性**

試験を実施したすべてのデータが含まれて評価しているか。都合のいい結果だけが提出されていることはないか。記録の残し方がトレース可能であり再現性があるのか。

■ **保　存**

すべての記録は保存されているか。

根拠法令，通知等

○医薬品，医療機器等の品質，有効性及び安全性の確保等に関する法律施行規則〔昭和36年2月1日厚生省令第1号（最終改正 令和2年8月31日厚生労働省令第155号）〕

（申請資料の信頼性の基準）

第114条の22

1. 当該資料は，これを作成することを目的として行われた調査又は試験において得られた結果に基づき正確に作成されたものであること。
2. 前号の調査又は試験において，申請に係る医療機器についてその申請に係る品質，有効性又は安全性を有することを疑わせる調査結果，試験成績等が得られた場合には，当該調査結果，試験成績等についても検討及び評価が行われ，その結果が当該資料に記載されていること。
3. 当該資料の根拠になった資料は，法第23条の2の5第1項又は第11項の承認を与える又は与えない旨の処分の日まで保存されていること。ただし，資料の性質上その保存が著しく困難であると認められるものにあってはこの限りではない。

表3-10 申請資料の信頼性の基準

正確性	✓ 試験計画書，手順書に基づく試験であるか？ 　（思いつきで実施した試験ではないこと） ✓ 転記ミス，誤字，脱字，計算ミスなどのミスがないか？ ✓ 試験機器の校正はされているか？ ✓ 試験計画書，一次データ（生データ），標準操作手順書，最終報告書，承認申請資料の間に整合性があるか？
完全性・網羅性	✓ 恣意的・作為的行為（改変，追加，削除，捏造）がないか？ ✓ 試験をした内容は，すべて報告書に記載されているか？ ✓ 検体の記載漏れなどないか？　再現性があるか？ ✓ 承認申請資料と一次データとして選出した基準・理由・経緯が明確か？
保存	✓ 根拠資料が明確で，そのすべてが保存されているか？ ✓ 一次データから追跡，再構築が可能であるか？

2. 信頼性の保証

そもそも対象となる事象が信頼できるものかどうかを保証するということは、どのようなことか。例えば、出荷する医療機器が信頼できるものかどうかを保証するということは、言い換えれば製品の品質（信頼性）を保証する（Quality Assurance）ということである（図3-10）。品質保証のために要求されるのがQMSの整備であり、そのシステムの実施と遵守状況は、当局や第三者機関の確認（監査）により担保される。

QMSの基本軸は、PDCAサイクルである。目的をもって計画され（P：plan）、計画したものは計画どおりに実施し（D：do）、正確に記録され、その実施結果について客観性をもって確認し（C：check）、必要な改善が施される（A：act）。申請のためのデータ収集と申請資料の作成も、同様な考え方が適用される。

3. データの定義と記録化

検証に際しては、まず試験の計画を立て、サンプルを作成し、試験を実施して結果を残し報告書（承認/認証申請資料）を作成する、という流れになる。

実施した試験にて恣意的・作為的な行為がされていないことを証明するためには、試験における一次データ（生データ）・根拠資料の整備が重要になる。試験実施の際に生じる最初のデータが一次データとなる（図3-11）。そのなかでは、試験の実施日や実施者、責任者名、試験環境から、サンプル作成の結果、測定機器の種類や測定結果の数値や計算結果など、さまざまな種類のデータが出力されるであろう。どのようなデータをどのような形で記録として認識し、どのように残すかの定義をきちんと事前に明らかにしておくことが必要である。

例えば、実験結果を手書きしたもの、測定機器に読み込ませた電子データ、撮像した写真ネガ・電子データなどが考えられ、試験実施日、実施者、何の試験なのか、何の検体を用いたのかなど、何の記録であるのかもあわせて記録しておくことが重要である。記録の形式には、磁気媒体あるいは印刷物の双方があるが、いずれかを一次データとするのかの定義を、手順・基準書のなかに文書化しておく必要がある。

また、計画どおりのデータが得られなかった場合の対処方法についても、あらかじめ決めて

製品の信頼性保証（Quality Assurance）とは

システム/プロセスの整備
（実施すべきプロセスの整理・手順化・様式化）

監査の実施
（品質マネジメントシステム（QMS）および設計活動結果の照査）
- 実施すべきプロセスが定められているか？
- その方法が正しいか（妥当か）？
- 定められたとおりに、実行されているか？

↓

申請資料の信頼性保証も同様の考え方が必要

図3-10 信頼性の保証（Quality Assurance）

図3-11　一次データ・根拠資料になるための要件

おくと柔軟な対応ができるため必要である。

①データの記載方法

　データの日付や署名，また，測定機器の読み取り結果は，記録する本人の手書きとなることが多い。その場合には，不正な改変ができない方法で記録することに注意が必要である。消すことが不可能なボールペンを使用する，コピーされたものか判別できるように文字を青色にする，訂正時には，訂正前の状態が判別できるようにしかつ訂正履歴が確認できるようにする，などの注意があげられる（図3-12）。

　また，パソコンへの打ち込み結果の印刷物や測定機器からの磁気媒体へ直接入力されるデータなどには，コンピュータ化システムバリデーション（Computerized System Validation；CSV）の考慮が必要である。

②データの信頼性に関わる具体的事例

　データの信頼性に関わる具体的な事例として，PMDAが公開している問題事例を表3-11にまとめた。

3-9　医療機器の製造販売承認（認証）申請

1．医療機器のクラス分類と必要な申請手続き

　医療機器を製造販売するためには，その品目ごとに厚生労働大臣の承認，登録認証機関による認証，もしくは厚生労働大臣に対して届出が必要になる。これは医療機器のクラス分類ごとに定められており，認証基準がある場合は登録認証機関による審査と認証となる（図3-13）。

実験・試験で得られた結果のすべてが重要。失敗した記録も含めて保管が必要。

試験結果は，適切に管理（記録と保管）する。

取り扱うデータの種類

一次データ （生データ）	試験実施中の各過程において得られた手書き一次データ，チャート，磁気データなどの全記録が該当し，結果が最初に文字化もしくは記号化されたもの。 【注意!!】 ●手書き：消えない筆記用具を用いて，最初から確実に記録する ●コンピュータに直接結果入力される装置：磁気媒体が一次データに ●コンピュータに直接結果入力されない装置：結果の印刷物が一次データに
加工データ/ 集計データ	一次データをエクセルへ入力・計算やグラフ化など，加工を行ったデータ。報告書の清書なども加工データの一つ。

図3-12　データ・記録の記載と取り扱い

表3-11　信頼性に関わる問題事例

正確性に問題があった事例

◆校正不備
　校正の有効期限を大幅に過ぎた計測機器で計測。当該計測機器は試験実施の2カ月後に校正したところ，修理が必要な状態であった。

◆誤記載
　承認申請資料に記載された検体のロット番号が誤っていた。

◆転記ミス
　生データを集計用のエクセルシートに転記する際，検体Aのデータを検体Bのデータに上書きするなどのミスが発生し，承認申請資料に多数のデータ誤りが認められた。

◆写真選択ミス
　承認申請資料に掲載されていた試験結果の写真が，試験とは無関係のものであった。

◆計算ミス
　計測値からデータを算出するエクセルシートに入力してある計算式が誤っていたため，承認申請資料に多数のデータ誤りが認められた。

正確性の不備について，繰り返し発見されている事例もあり

網羅性に疑義，根拠資料の不備

◆網羅性に疑義
　複数の検体の試験を実施していたが，一部のデータしか承認申請資料には記載されていなかった。

◆記録保存の不備
　一部のデータに関する根拠資料が保存されていなかった。

◆申請資料の根拠が不明
　・生データと承認申請資料に不整合が認められた（生データでは一部に「不適」があったが，承認申請資料ではすべての結果が「適」）。申請者から生データの誤記である旨回答があったが，その根拠なし。
　・動物を用いた試験（外部に委託）において，生データに動物の死亡原因が記載されていなかったが，承認申請資料には申請者の推察による死亡原因が記載されていた。

◆追跡不能・再現性なし
　グラフから値を算出する方法に再現性がなかった。

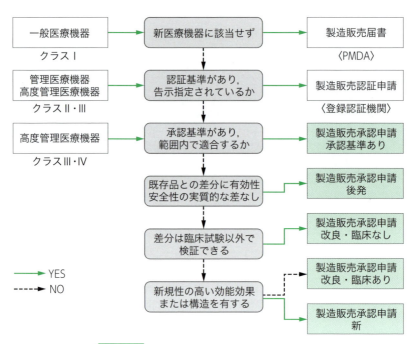

図3-13 医療機器のクラス分類と申請区分

表3-12 承認申請の申請区分

申請区分	説　明
新医療機器	既存の医療機器と構造，使用方法，効果または性能が明らかに異なるもの（原則として臨床試験に関する資料が必要）
改良医療機器	新医療機器にも後発医療機器にも該当しないもの（さらに臨床ありと臨床なしに分かれる）
後発医療機器	既存の医療機器と構造，使用方法，効果および性能が実質的に同等であるもの（承認基準ありの場合も含まれる）

　承認申請の場合，さらにその申請品目の新規性に応じて3つの申請区分に分かれ（表3-12），この申請区分に応じて必要になる添付資料が異なってくる．

2．承認申請パッケージ

　承認申請パッケージは，申請する品目を特定して説明した文書となる「承認申請書」の部分，また申請する品目を設計開発する際に実施した検証結果と妥当性確認結果に関する資料を添付する必要がある（図3-14）．

　承認申請書に記載しなければならない項目の概要は以下のとおりであり，これは認証申請書，クラスⅠの届出書も同じである．

①類　別

　医薬品医療機器法施行令別表1に定義されている，医療機器の類別を記載する．

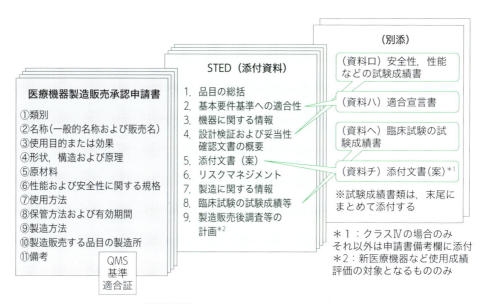

図3-14　承認申請パッケージイメージ

②名称（一般的名称および販売名）

「一般的名称」は，クラス分類通知の別表に定められているクラス分類の定義をもとにクラス分類を判断し，そのクラス分類に相当する一般的名称を選択し記載する。当該品目の「販売名」は，性能などに誤解を与えないものであり，かつ品位を保てる名称を記載する。

> **根拠法令，通知等**
> ○薬事法第2条第5項から第7項までの規定により厚生労働大臣が指定する高度管理医療機器，管理医療機器及び一般医療機器（告示）及び薬事法第2条第8項の規定により厚生労働大臣が指定する特定保守管理医療機器（告示）の施行について（平成16年7月20日薬食発第0720022号）【クラス分類告示】
> ○高度管理医療機器，管理医療機器及び一般医療機器に係るクラス分類ルールの改正について（平成25年5月10日薬食発0510第8号）
> ○「医薬品，医療機器等の品質，有効性及び安全性の確保等に関する法律 第2条第5項から第7項までの規定により厚生労働大臣が指定する高度管理医療機器，管理医療機器及び一般医療機器（告示）及び医薬品，医療機器等の品質，有効性及び安全性の確保等に関する法律第2条第8項の規定により厚生労働大臣が指定する特定保守管理医療機器（告示）の施行について」等の改正について（令和3年5月14日薬生発0514第1号）

③使用目的または効果

当該品目の使用目的として，品目の特性に応じ，適応となる患者と疾患名，使用する状況，期待する結果などについて記載する。

④形状，構造および原理

品目の外観形状，構造，原理，各構成ユニット，電気的定格，各部の機能など，どのような品目であるのかを記載する。

⑤原材料

品目に用いられている原材料を記載する。血液・体液・粘膜などに接触（直接・間接を含む）せず，かつ性能に大きく影響しない部品の原材料については，特に記載を要さない。

⑥性能および安全性に関する規格

品質，安全性および有効性の観点から，また基本要件，承認基準など本品の要求事項として求められる設計仕様のうち，形状，構造および原理欄に該当しない事項を記載する。

⑦使用方法

どのように使用するのか，簡潔に記載する。

⑧保管方法および有効期間

特定の保管方法によらなければ経時的に品質低下を来し品質確保が困難である場合，3年以下の有効期間を設定する品目において記載する。

⑨製造方法

滅菌医療機器では，滅菌方法，引用する滅菌バリデーション基準，その他必要事項を記載する。

⑩製造販売する品目の製造所

製造販売する品目に関して，登録を受けた製造所ごとに，製造所の名称，製造業登録番号，製造工程（設計，主たる組立て，滅菌，保管の別）を記載する。

承認申請書，認証申請書の詳細については通知で示されている。

承認申請パッケージとして図3-14を参考に，添付資料をSTED（Summary Technical Document）形式にまとめ，試験成績書など表3-13に示す資料は別添として末尾にまとめて添付する。STED形式とは，GHTFにて検討された品目を製造販売する際に医療機器の有効性，安全性に関する基本要件に適合することを示す証拠としての資料の編集形式である。医療機器製造販売承認申請における添付資料概要，承認基準ありの場合の添付資料，製造販売承認申請における添付資料は基本的にSTED形式により編集する。

申請区分に応じた承認申請時に求められている添付資料は，表3-14のとおりである。

根拠法令，通知等

○医療機器の製造販売承認申請について（平成26年11月20日薬食発1120第5号）
○医療機器の製造販売認証申請について（平成26年11月20日薬食機参発1120第8号）

○医療機器の製造販売届出に際し留意すべき事項について（平成26年11月21日薬食機参発1121第41号）
○医療機器の製造販売承認申請書添付資料の作成に際し留意すべき事項について（平成27年1月20日薬食機参発0120第9号）

表3-13 製造販売承認申請書に添付すべき資料の項目

添付資料	添付資料の項目	STED形式
イ．開発の経緯及び外国における使用状況などに関する資料	1. 開発の経緯に関する資料 2. 類似医療機器との比較 3. 外国における使用状況	1. 品目の総括 1.1 品目の概要 1.2 開発の経緯 1.3 類似医療機器との比較 1.4 外国における使用状況 3. 機器に関する情報
ロ．設計及び開発に関する資料	1. 性能及び安全性に関する資料 2. その他設計検証に関する資料	4. 設計検証及び妥当性確認文書の概要
ハ．医薬品医療機器法第41条第3項に規定する基準への適合性に関する資料	1. 基本要件基準への適合宣言に関する資料 2. 基本要件基準への適合に関する資料	2. 基本要件基準への適合性
ニ．リスクマネジメントに関する資料	1. リスクマネジメント実施の体制に関する資料 2. 安全上の措置を講じたハザードに関する資料	6. リスクマネジメント 6.1 リスクマネジメントの実施状況 6.2 安全上の措置を講じたハザード
ホ．製造方法に関する資料	1. 製造工程と製造所に関する資料 2. 滅菌に関する資料	7. 製造に関する情報 7.1 滅菌方法に関する情報
ヘ．臨床試験の試験成績に関する資料又はこれに代替するものとして厚生労働大臣が認める資料	1. 臨床試験の試験成績に関する資料 2. 臨床評価に関する資料	8. 臨床試験の試験成績等 8.1 臨床試験成績等 8.2 臨床試験成績等のまとめ
ト．医療機器の製造販売後の調査及び試験の実施の基準に関する省令第2条第1項に規定する製造販売後調査等の計画に関する資料	1. 製造販売後調査等の計画に関する資料	9. 製造販売後調査等の計画
チ．医薬品医療機器法第63条の2第1項に規定する添付文書等記載事項に関する資料	1. 添付文書に関する資料	5. 添付文書（案）

〔医療機器の製造販売承認申請書添付資料の作成に際し留意すべき事項について（平成27年1月20日薬食機参発0120第9号）より〕

3．承認までのプロセス

　高度管理医療機器の場合，PMDAに「医療機器製造販売承認申請書」の提出が必要になる。申請後，PMDAのなかで審査を受けるが，品目としての有効性および安全性の評価（書面による審査）および承認申請資料適合性調査（添付資料データの信頼性に関する調査），ならびに製造所のQMS適合性調査（有効なQMS基準適合証がない場合）が行われる（図3-15）。また，PMDAにおいて，品目審査（医療機器審査第一部，同第二部）と並行して，信頼性調査（医療機器調査・基準部）およびQMS適合性調査申請に基づくQMS適合性調査が実施される（医療機器品質管理・安全対策部）。

表3-14 製造販売承認申請書に添付すべき資料の範囲

申請区分	イ 開発の経緯			ロ 設計検証		ハ 基本要件		ニ リスク		ホ 製造方法		ヘ 臨床試験		ト 調査計画	チ 添付文書
	1	2	3	1	2	1	2	1	2	1	2	1	2	1	1
新医療機器	○	○	○¹⁾	○	△	○	○	○	○	○	△	○²⁾	○²⁾	○³⁾	△⁵⁾
改良医療機器（臨床あり）	○	○	○¹⁾	○	△	○	○	○	○	○	△	○²⁾	○²⁾	×⁴⁾	△⁵⁾
改良医療機器（承認基準なし・臨床なし）	○	○	○¹⁾	○	△	○	○	○	○	○	△	×	×	×⁴⁾	△⁵⁾
後発医療機器（承認基準なし・臨床なし）	○	○	○¹⁾	○	△	○	○	○	○	○	△	×	×	×⁴⁾	△⁵⁾
後発医療機器（承認基準あり・臨床なし）	○	○	○¹⁾	○	△	○	○	○	○	○	△	×	×	×⁴⁾	△⁵⁾

記号及び番号は表3-13に規定する資料の記号及び番号を示す。
○：添付が必要　△：添付が必要な場合もある　×：添付不要
1) 外国において使用されていない場合は，その旨を説明すること。
2) 臨床試験の成績に関する資料または臨床評価に関する資料のうち，少なくともどちらか一方の資料を添付すること。
3) 新医療機器であって承認に伴う製造販売後調査が不要と考える場合には，その理由を説明すること。
4) 申請品目が使用成績評価の対象になることが想定される場合には，製造販売後調査の計画に関する資料の添付を求めることがあること。
5) 申請品目が医薬品医療機器法第63条の3の規定に基づき厚生労働大臣が指定する医療機器である場合，添付文書に関する資料を添付すること。

〔医療機器の製造販売承認申請について（平成26年11月20日薬食発1120第5号）より〕

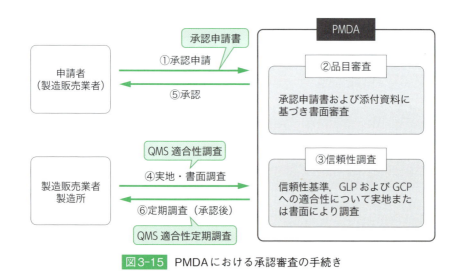

図3-15　PMDAにおける承認審査の手続き

3-10 承認等事項の変更

　医療機器は改善・改良により，承認（認証）を得た後にその承認等事項に変更が生じることが多く発生する。一部の変更内容を除き，変更するためには手続きが必要になる。手続きは変

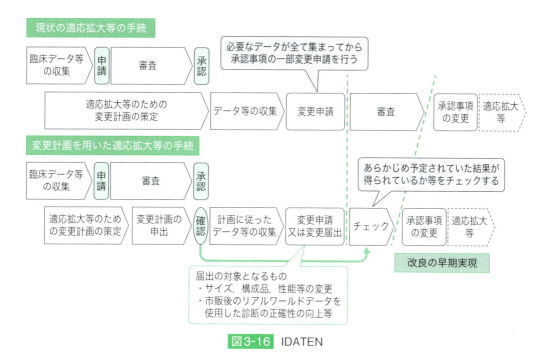

図3-16 IDATEN

更の程度により，軽微変更届出および一部承認（認証）事項承認（認証）申請がある。変更の程度が大きく，品目の変更を超える場合には新規に別品目として承認（認証）申請が必要となる場合もある。

　変更手続きを繰り返し実施することが想定される場合に，医療現場への供給遅延を回避し，手続きの簡素化を図る目的で，変更計画の確認制度が構築された。これは変更に係る検証・評価の計画を審査することで審査時期を前倒しし，検証結果が得られた後に多くの時間をかけずに医療現場への供給開始に向かわせよう，という手続きである〔変更計画確認制度（Improvement Design within Approval for Timely Evaluation and Notice（通称：IDATEN）〕（図3-16）。

根拠法令，通知等
- 医療機器の一部変更に伴う手続について（平成20年10月23日薬食機発第1023001号）
- 医療機器の一部変更に伴う軽微変更手続き等の取扱いについて（平成29年7月31日薬生機審発0731第5号）
- 医療機器プログラムの一部変更に伴う軽微変更手続き等の取扱いについて（平成29年10月20日薬生機審発1020第1号）
- 医療機器の変更計画の確認申請の取扱いについて（令和2年8月31日薬生機審発0831第14号）
- 医療機器の原材料の変更手続について（平成25年3月29日薬食機発0329第7号）
- 医療機器の原材料の変更手続に関する質疑応答集（Q&A）（平成25年5月29日付薬食機発0529第4号）

3-11 開発を進めるにあたってのポイント

1. 優先審査

有用な医療機器を早期に患者へ届けるため優先して審査を行う制度があり，優先的に審査を受けることができる品目が示されている（表3-15）。開発を進めるにあたって，優先審査品目に該当するか否かも確認するとよい。

表3-15 優先審査の対象品目

1. 希少疾病用医療機器
2. 先駆け審査指定医療機器
3. 先駆的医療機器
4. 特定用途医療機器
5. 次のいずれの要件にも該当する新医療機器
   ①適用疾病が重篤であると認められること。
   ②既存の医療機器又は治療方法と比較して，有効性又は安全性が医療上明らかに優れていると認められること。

根拠法令，通知等

○優先審査等の取扱いについて（令和2年8月31日付薬生薬審発0831第1号，薬生機審発0831第1号）

2. PMDAの対面助言相談制度の活用

PMDAは，医療機器の開発プロセスに沿って各種対面助言を行っている（図3-17）。具体的な開発プロセスに入る前に開発にあたっての必要な検証事項など全般的な相談としては「開発前相談」，各種検証のプロトコールに関する相談は「プロトコール相談」，検証結果の解釈，評価の仕方などに関する相談は「評価相談」が設定されている。また，非臨床試験の結果，海外での使用状況などを踏まえたうえで，新たな臨床試験の要否を検討するにあたり相談する場合は「臨床試験要否相談」がある。臨床試験の内容については，臨床試験に関する「プロトコール相談」，また試験結果に関する「評価相談」がある。この評価相談を申請前に効果的に使うことにより申請後の審査期間の短縮につながる。また，承認申請書と資料全般に対し，「資料充足性・申請区分相談」がある。

PMDAが実施している相談は多種多様である。そのため，どの相談区分を使ったらよいのか，対面助言にあたりどのような資料を準備したらよいのかなど，対面助言を円滑に進めるための相談として「対面助言準備面談」があるので利用するとよい。

また，規制制度や発出されている通知全般に関わる相談などについては，無料の「全般相談」が設定されている。

なお，プログラム医療機器については相談窓口が一元化されている。事務連絡で詳細を確認いただきたい。

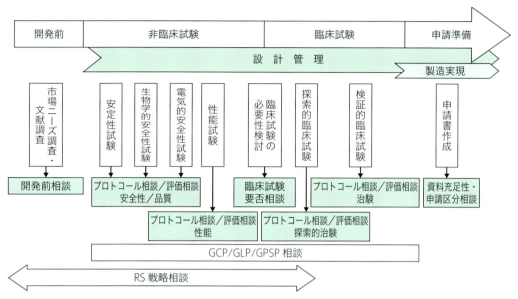

図3-17 医療機器開発プロセスとPMDA相談メニュー

> **根拠法令，通知等**
> ○プログラム医療機器に関する一元的相談窓口の設置について（令和3年3月31日厚生労働省医政局経済課，厚生労働省医薬・生活衛生局医療機器審査管理課，厚生労働省医薬・生活衛生局監視指導・麻薬対策課事務連絡）

　そのほか，医療機器シーズ（技術やノウハウ）をもっているが，承認あるいは認証申請に不慣れな大学・研究機関，ベンチャー企業などを対象とした「レギュラトリーサイエンス（RS）戦略相談」が設定されている。RS戦略相談は，新規参入などを計画している者に対して，製品化を進めるためにどのような評価を行う必要があるのか，その品目ごとに要求される内容についてPMDAがアドバイスを行う制度である。上市・実用化に向けての課題を解決させるための道筋についての相談が可能であり，通常の対面助言の約1割の手数料となっている。なお，無料の事前面談（RS総合相談）は，相談内容の整理のためにPMDAのテクニカルエキスパート（主として企業における開発経験者）が対応している。

　RS戦略相談の具体的な相談プロセスと手続きの流れについて，図3-18，図3-19に示す。これを参考にして活用いただきたい。

> **根拠法令，通知等**
> 　医薬品・医療機器薬事戦略相談事業の実施について（平成23年6月30日薬機発第0630007号）
> 　薬事戦略相談に関する実施要綱の一部改正等について（平成29年3月16日薬機発第0316001号）

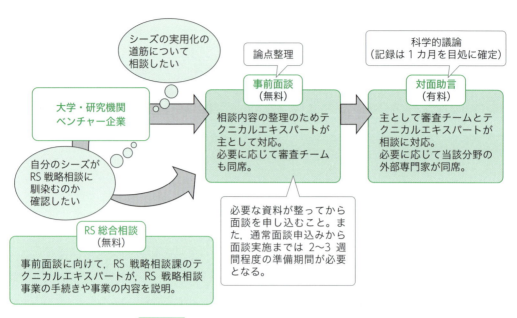

図3-18 RS戦略相談のプロセスとその関係①

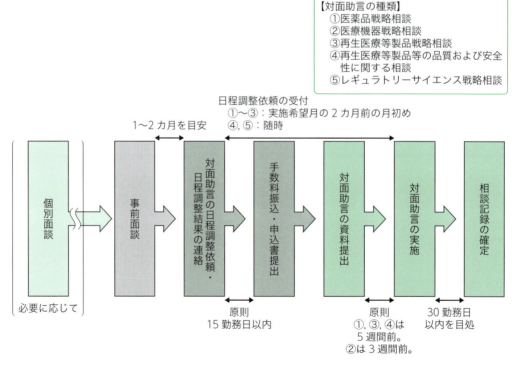

図3-19 RS薬事戦略相談のプロセスとその関係②

3. 審査報告書の活用

　新医療機器であればPMDAより審査報告書が公開されており，PMDAのホームページから入手可能である。公開されている審査報告書は，開発企業により，一部にマスキングがかかっているが，おおよその検討事項，検査項目などについては読み込むことが可能である。すでに一つの医療機器としての承認実績が出ている以上，その後の審査に影響することが多いことから，添付資料の構成，試験内容，ならびにSTEDの記載内容を含め，このような先行事例を参考にすべきである。

4. 次世代医療機器評価指標

　次世代医療機器評価指標は，承認実績は少ないが今後開発が進むであろう新規テーマについて専門家が選択し，学識経験者（当該領域の専門家），審査当局が中心となり，一部企業検討内容を取り込んで，対象となる新規医療機器の開発および承認申請で必要な検討項目をまとめ公開するものである（図3-20）。現在作成された次世代医療機器評価指標は通知として発出されている。そのなかで「次世代型高機能人工心臓の臨床評価のための評価指標」での評価にあたって留意すべき事項の一部を以下に紹介する。

> **根拠法令，通知等**
> ○次世代医療機器評価指標の公表について（令和2年9月25日薬生機審発0925第1号）

　なお，このほかに9件の通知が発出されている。

① 基本的事項

　開発経緯，品目仕様，国内外の使用状況，設計開発とシステム原理，システム全体の安全性や患者QOL（Quality of Life）確保の観点からの検討

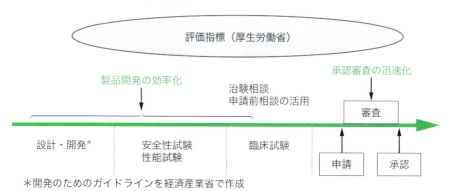

図3-20 次世代医療機器評価指標の整備

②非臨床試験
■*In vitro*評価
　構成部品の安全性・信頼性，駆動装置の安全性・信頼性，エネルギー関連装置の安全性・信頼性，原材料に関わる安全性，溶血特性，電気的安全性，使用目的を勘案した際の信頼性評価の妥当性
■*In vivo*評価
　実験動物，実験プロトコールの評価

③臨床試験（治験）の要件
　人工心臓は，患者体内に埋め込まれて以後，例えば心臓移植までの期間継続的に機能し続ける必要があることから，信頼性が最も重要な評価内容の一つとなる。そのため，耐久性試験の方法，耐久性試験の結果解析の方法が記載されている。

3-12 保険適用

　新たに開発した医療機器が広く用いられるためには，保険診療のなかで使用できるようにするのが適切である。開発の最終出口である保険収載，その手続きなどについて，詳細は第6章で解説する。

第4章

臨床試験

4-1 治験実施計画書と医療機器GCP

1. 治験実施計画書とそのデザイン

　治験実施計画書（プロトコール）は，治験の目的，デザイン（治験の方法や主要評価項目および副次評価項目などを具体的に記載したもの）および被験機器（治験を行おうとする機器）の概要などを記載した治験実施プランといえる。実施医療機関（治験を実施する医療機関）は，この治験実施計画書に基づき治験を実施する必要がある。

　プロトコールは，治験責任医師（治験の責任者となる医師で，ほかには治験分担医師などがいる）となるべき者の同意が必要とされている。

　また，プロトコールの作成にあたっては，「医療機器の臨床試験の実施の基準に関する省令」（以下，医療機器GCP省令という）やその運用ガイダンスなど最新の情報を考慮する。

> **根拠法令，通知等**
> ○医療機器の臨床試験の実施の基準に関する省令〔平成17年3月23日厚生労働省令第36号（最終改正 令和3年1月24日厚生労働省令第15号）〕【医療機器GCP省令】
> ○「「医療機器の臨床試験の実施の基準に関する省令」のガイダンスについて」の一部改正等について（令和3年7月30日薬生機審発0730第2号）

2. 治験実施計画書の記載事項

　プロトコールに記載する必要がある事項を表4-1に示す。治験の依頼をしようとする者（治験依頼者）は，被験機器の品質，有効性および安全性に関する事項，そのほか治験を適正に行うために重要な情報を知ったときは，必要に応じ当該プロトコールを改訂しなければならない。

3. 症例報告書

　症例報告書（Case Report Form；CRF）は，プロトコールに従って正確に作成しなければならない。また，CRFの見本は統計解析に必要不可欠なデータなどを明確に記録できるものとする。CRF作成において留意する必要がある事項を表4-2に示す。また，CRF作成上重要な事項を表4-3に示す。

4. 治験機器概要書

　治験依頼者は，非臨床試験などにより得られた資料ならびに被験機器の品質，有効性および安全性に関する情報に基づいて，表4-4に示す事項を記載した治験機器概要書を作成しなければならない。治験機器とは，被験機器（今回の治験の対象）と対照機器（既存の比較対照）を指す。対照機器はない場合もある。

　また，治験機器概要書を作成するにあたり医療機器GCP運用ガイダンスには表4-5に示す留意事項が記載されている。

表4-1 プロトコールに記載すべき事項

1. 治験の依頼をしようとする者の氏名および住所
2. 治験に関する業務の全部または一部を委託する場合には，当該業務を受託した者の氏名，住所および当該委託に関する業務の範囲
3. 実施医療機関の名称および所在地
4. 治験責任医師となるべき者の氏名
5. 治験の目的
6. 治験使用機器の概要
7. 治験の方法
8. 被験者（治験に参加する患者）の選定に関する事項
9. 原資料の閲覧に関する事項
10. 記録（データを含む）の保存に関する事項
11. 治験調整医師に委嘱した場合には，その氏名
12. 治験調整委員会に委嘱した場合には，これを構成する医師または歯科医師の氏名
13. 効果安全性評価委員会を設置したときは，その旨

表4-2 症例報告書（CRF）作成上留意すべき事項

1. 治験責任医師，治験分担医師へ事前に「変更または修正に関する手引き」を手交する。
2. 変更または修正は当初の記載内容を不明瞭にするものであってはならない（監査証跡として保存）。
3. 治験依頼者への提出前に治験責任医師はこれを点検しなければならない。

表4-3 症例報告書（CRF）作成上重要な事項

1. 原資料から必要なデータなどをCRFに転記する（CRCは実施可能。CRAは実施不可能）。
2. CRFの空欄はNG（空欄とした理由を記載する）。
3. プロトコールからの逸脱の場合は，その内容，再発防止措置などをモニタリング報告書などに必ず記録する。

原資料：被験者に対する治験機器または製造販売後臨床試験医療機器の使用および診療により得られたデータその他の記録
CRC：Clinical Research Coordinator（治験コーディネーター）　CRA：Clinical Research Associate（モニター担当者）

5. 説明文書

治験責任医師が被験者（治験に参加する患者）に治験の説明を行うときは，表4-6に示す事項を記載した説明文書を交付しなければならない。

6. インフォームド・コンセント

インフォームド・コンセントとは，「被験者の治験への参加の意思決定と関連する十分な説明（治験に関するあらゆる角度からの説明）がなされた後に，被験者がその説明を理解し，自由な意思によって治験への参加に同意し，文書によってそのことを確認すること」をいう。この際の説明に用いられる文書が前述した「説明文書」で，被験者が治験への参加に同意することを確認する文書が，「同意文書」であり，被験者（または代諾者）と治験責任医師などの署

表4-4 治験機器概要書に記載すべき事項

1. 被験機器の原材料名または識別番号
2. 被験機器の構造および原理に関する事項
3. 品質，安全性，性能その他の被験機器に関する事項
4. 臨床試験が実施されている場合には，その試験成績に関する事項

表4-5 治験機器概要書の作成上留意すべき事項

1. 治験を依頼しようとする者は，治験責任医師およびそのほか治験に関与する者が，治験実施計画書の主要項目（使用方法，被験者の安全性を監視するための手順など）の合理的根拠を理解し，かつそれを遵守するための情報を提供するために治験機器概要書を作成する。また，治験機器概要書は，治験実施期間中の被験者の臨床上の管理に必要な知識を提供するものであること。
2. 治験機器概要書に記載されるデータは，簡潔，客観的，公平かつ販売促進に関わりのないものであること。
3. 治験を依頼しようとする者は，治験機器概要書の編集にあたり，一般的には医師などの専門家を参加させることが望ましい。
4. 治験機器概要書に記載すべき情報の種類や範囲は，被験機器の特性に応じた適切なものであること。被験機器が市販され，その性能が一般の医師または歯科医師に広く理解されている場合は，広範な情報を掲載した概要書は必要ない場合もありうる。
5. 「被験機器の構造及び原理に関する事項」とは，被験機器の構造・原理について，その概要を簡潔に取りまとめたものであること。
6. 「品質，安全性，性能その他の被験機器に関する事項」とは，被験機器の物理的，化学的および工学的性質，原材料名，性能，安全性，生体適合性，吸収性に関連する非臨床試験の成績を指す。
7. 治験機器概要書に通常含まれているべき具体的事項については，ISO 14155：2020の附属書Bを参照すること。
8. 治験の依頼をしようとする者が，複数の被験機器を用いる治験を実施する際に，自らが製造販売する予定の被験機器と併用するものの，他社が製造販売しているなどの理由で，治験機器概要書を準備することができない場合は，我が国において既承認の医療機器であり，かつ治験を依頼しようとする者が当該被験機器を治験に用いるに当たり被験機器の安全性を担保できると考える場合に限り，治験機器概要書に代わり，当該被験機器の最新の科学的知見について記載した文書（添付文書，学術論文等）を添付することで差し支えない。
9. 治験を依頼しようとする者は，開発段階に応じて，また治験機器に関連する新たな情報が国内外から得られた場合などには，手順書に従って少なくとも年に1回治験機器概要書を見直し，必要に応じて改訂すること。
10. 治験を依頼しようとする者は，新たな重要な情報が得られた場合には，治験機器概要書の改訂に先立って，治験責任医師，実施医療機関の長および規制当局にこれらの情報を報告すること。

表4-6 被験者への説明文書に記載すべき事項

1. 当該治験が試験を目的とするものである旨
2. 治験の目的
3. 治験責任医師の氏名および連絡先
4. 治験の方法
5. 予測される治験機器による被験者の心身の健康に対する利益（当該利益が見込まれない場合はその旨）および予測される被験者に対する不利益
6. 他の治療方法に関する事項
7. 治験に参加する期間
8. 治験の参加をいつでも取りやめることができる旨
9. 治験に参加しないこと，または参加を取りやめることにより被験者が不利益な取り扱いを受けない旨
10. 治験の参加を取りやめる場合の治験機器の取り扱いに関する事項
11. 被験者の秘密が保全されることを条件に，モニター，監査担当者および治験審査委員会などが原資料を閲覧できる旨
12. 被験者に係る秘密が保全される旨
13. 健康被害が発生した場合における実施医療機関の連絡先
14. 健康被害が発生した場合に必要な治療が行われる旨
15. 健康被害の補償に関する事項
16. 当該治験の適否などについて調査審議を行う治験審査委員会の種類，各治験審査委員会において調査審議を行う事項その他当該治験に関する治験審査委員会に関する事項
17. 被験者が負担する治験の費用があるときは，当該費用に関する事項
18. 当該治験に関する必要な事項

名と日付が記入されていることが必要となる。代諾者とは，被験者が何らかの理由で治験の参加への意思決定を行う能力がない場合に被験者の親権を行う者，配偶者，後見人などの被験者に代わって参加を承諾する者をいう。

　説明文書と同意文書は「両者を一体化した文書とすること又は一式の文書とすることが望ましい」とされている。また，治験審査委員会（IRB）への申請に際しては，説明文書と同意文書をあわせて提出する。治験責任医師が被験者へ説明文書を用いて説明する際には，説明文書と同意文書をあわせて用いて説明することが必要となる。

7. 治験のステージ

　医療機器の治験には，表4-7に示すように探索的治験（フィージビリティスタディ），パイロット試験およびピボタル試験の3段階のステージがある。探索的治験とパイロット試験は実施しない場合もある。

　医薬品の場合，治験は第Ⅰ相，第Ⅱ相前期・後期および第Ⅲ相の4段階のステージがあり，基本的にはすべてのステージが必須となっている（表4-8）。

8. 治験前に行うこと

　治験依頼者は，被験機器の品質，安全性および性能に関する試験そのほか，治験を依頼するために必要な試験を終了していなければならない。治験依頼者が留意すべき事項を表4-9に

表4-7　医療機器の治験のステージ

ステージ	
探索的治験	フィージビリティスタディともよばれ，ヒトに「使えるか」を試みたり，改良目的の場合などに仕様を検討したりする基礎的な試験
パイロット試験	ピボタル試験のための知見（適応症例，症例数および使用方法など）を得る目的で実施する少数の適応患者による試験
ピボタル試験	適応患者を被験者とした主として安全性および有効性の検証が目的の試験といえ，医薬品の治験と異なり一般的に二重盲検試験の実施が困難な場合が多く，比較対照群を置かないこともある

表4-8　医薬品の治験のステージ

ステージ	
第Ⅰ相	ヒトに初めて投与する試験で，通常健常人を対象とした安全性および忍容性の確認と薬物動態チェックが目的
第Ⅱ相前期	初めて患者に投与する試験で，安全性および有効性の確認や用量，適応疾患の基礎的な検索が目的
第Ⅱ相後期	少数の適応患者を対象とした試験で，安全性および有効性の確認や至適用法・用量設定検索が目的
第Ⅲ相	大規模な多施設で実施する適応患者を対象とした試験で，安全性および有効性と至適用法・用量の最終的な確認が目的

表4-9 治験依頼者が留意すべき事項

1. 「被験機器の品質，安全性及び性能に関する試験，その他治験を依頼するために必要な試験」とは，被験機器の物理的，化学的性質，性状等に関する理化学試験等および安全性，性能等に関する動物試験等のいわゆる非臨床試験や先行する臨床試験を指している。
2. 安全性試験等の具体的な項目，内容等については，治験の内容（治験機器の使用方法および使用期間，被験者の選択基準等）等を勘案して，治験依頼時点における科学的水準に照らして適正なものであることが必要となる。
3. 治験の依頼をしようとする者は，「治験責任医師となるべき者と協議し，治験実施計画書（プロトコール）および症例報告書（CRF）の見本の作成（それらの改訂を含む。）の際，当該治験の目的ならびに使用対象集団，使用方法，使用期間，観察項目および評価項目等の妥当性を支持できるだけの品質，安全性および有効性に関する十分なデータが理化学試験等，非臨床試験および先行する臨床試験から得られており，当該治験の倫理的および科学的妥当性が裏付けられていることを保証する」必要がある。また，「そのための手続きを文書（SOP）で定めること」が必要となる。

示す。また，開発期間中に被験機器の原材料または構成部品などが変更される場合には，新たに当該被験機器の仕様を評価するために必要な試験成績（電気的安全性，生物学的安全性および放射線安全性などの試験成績）を被験機器が使用される前に入手しておく必要がある。

9. 医療機器GCPと医療機器GCP省令

①医療機器GCP

医療機器GCP（Good Clinical Practice）とは，医療機器の臨床試験を実施するためのルールで，国が定めた「医療機器の臨床試験の実施の基準に関する省令」（GCP省令）を指す。治験（企業主導治験および医師主導治験）を実施する治験依頼者（医療機器企業，医師），実施医療機関および医師が遵守する基準といえる。なお，医師には歯科医師が含まれる。

医療機器GCPは「ヘルシンキ宣言」（後述）に基づき，治験を受ける人（被験者）の人権の保護，安全の保持および福祉の向上を図り，治験の科学的な質および成績の信頼性を確保することが主な目的である。

また，医療機器GCPは，医薬品GCP（ICH GCP）（➡用語解説）に準拠している。

> **用語解説**
> ICH（International Conference on Harmonisation of Technical Requirements for Registration of Pharmaceuticals for Human Use）
> 日米EU医薬品規制調和国際会議。日本と米国およびEUの医薬品当局の行政機関と医薬品産業団体とが新規医薬品の承認制度の調和について開催している会議。承認審査資料関連規制などの調和を図ることで，承認申請に必要なデータの国際的な相互受け入れを実現し，承認審査の迅速化と研究開発の促進を促し，新規の医薬品を患者のもとにいち早く届けることを目的としている。

②医療機器GCP省令

医療機器GCP省令は2005年に発出され，その後一部改正されている（表4-10）。

表4-10 医療機器GCP省令の発出

2005年	医療機器の臨床試験の実施の基準に関する省令（平成17年3月23日付厚生労働省令第36号）
2009年	一部改正 平成21年3月31日付厚生労働省令第68号
2011年	一部改正 平成23年6月21日付厚生労働省令第72号
2012年	一部改正 平成24年12月28日付厚生労働省令第161号
2013年	一部改正 平成25年2月8日付厚生労働省令第11号
2014年	一部改正 平成26年7月30日付厚生労働省令第87号
2016年	一部改正 平成28年7月21日付厚生労働省令第128号
2020年	一部改正 令和2年8月31日厚生労働省令第155号
2020年	一部改正 令和2年12月25日厚生労働省令第208号
2021年	一部改正 令和3年1月29日厚生労働省令第15号

　その主たる内容は，「被験者の人権の保護，安全の保持及び福祉の向上を図り，治験及び製造販売後臨床試験の科学的な質及び成績の信頼性を確保することを目的とする」と「目的を達成するため，治験及び製造販売後臨床試験に関する計画，実施，モニタリング，監査，記録，解析及び報告等に関する遵守事項を定めるもので，治験依頼者（企業主導・医師主導），実施医療機関及び医師が遵守する基準である」の2つといえる。

10. ヘルシンキ宣言と「被験者に対する補償措置」

①ヘルシンキ宣言

　ヘルシンキ宣言は，1964年に世界医師会総会で採択された「人間を対象とする医学研究の倫理的原則」で，序文および一般原則には表4-11に示す事項が盛り込まれている（最近では，2013年にブラジルで一部修正が行われた）。

②被験者に対する補償措置

　治験依頼者の義務として，被験者に対する万一の場合の補償措置として「治験の依頼をしようとする者は，あらかじめ，治験に係る被験者に生じた健康被害（受託者の業務により生じたものを含む）の補償のために，保険そのほかの必要な措置を講じておかなければならない」と規定されている。

表4-11 ヘルシンキ宣言－人間を対象とする医学研究の倫理的原則（日本医師会訳）

序文
1. 世界医師会（WMA）は，特定できる人間由来の試料およびデータの研究を含む，人間を対象とする医学研究の倫理的原則の文書としてヘルシンキ宣言を改訂してきた。
本宣言は全体として解釈されることを意図したものであり，各項目は他のすべての関連項目を考慮に入れて適用されるべきである。
2. WMAの使命の一環として，本宣言は主に医師に対して表明されたものである。WMAは人間を対象とする医学研究に関与する医師以外の人々に対してもこれらの諸原則の採用を推奨する。

一般原則
3. WMAジュネーブ宣言は，「私の患者の健康を私の第一の関心事とする」ことを医師に義務づけ，また医の国際倫理綱領は，「医師は，医療の提供に際して，患者の最善の利益のために行動すべきである」と宣言している。
4. 医学研究の対象とされる人々を含め，患者の健康，福利，権利を向上させ守ることは医師の責務である。医師の知識と良心はこの責務達成のために捧げられる。
5. 医学の進歩は人間を対象とする諸試験を要する研究に根本的に基づくものである。
6. 人間を対象とする医学研究の第一の目的は，疾病の原因，発症および影響を理解し，予防，診断ならびに治療（手法，手順，処置）を改善することである。最善と証明された治療であっても，安全性，有効性，効率性，利用可能性および質に関する研究を通じて継続的に評価されなければならない。
7. 医学研究はすべての被験者に対する配慮を推進かつ保証し，その健康と権利を擁護するための倫理基準に従わなければならない。
8. 医学研究の主な目的は新しい知識を得ることであるが，この目標は個々の被験者の権利および利益に優先することがあってはならない。
9. 被験者の生命，健康，尊厳，全体性，自己決定権，プライバシーおよび個人情報の秘密を守ることは医学研究に関与する医師の責務である。被験者の保護責任は常に医師またはその他の医療専門職にあり，被験者が同意を与えた場合でも，決してその被験者に移ることはない。
10. 医師は，適用される国際的規範および基準はもとより人間を対象とする研究に関する自国の倫理，法律，規制上の規範ならびに基準を考慮しなければならない。国内的または国際的倫理，法律，規制上の要請がこの宣言に示されている被験者の保護を減じあるいは排除してはならない。
11. 医学研究は，環境に害を及ぼす可能性を最小限にするよう実施されなければならない。
12. 人間を対象とする医学研究は，適切な倫理的および科学的な教育と訓練を受けた有資格者によってのみ行われなければならない。患者あるいは健康なボランティアを対象とする研究は，能力と十分な資格を有する医師またはその他の医療専門職の監督を必要とする。
13. 医学研究から除外されたグループには研究参加への機会が適切に提供されるべきである。
14. 臨床研究を行う医師は，研究が予防，診断または治療する価値があるとして正当化できる範囲内にあり，かつその研究への参加が被験者としての患者の健康に悪影響を及ぼさないことを確信する十分な理由がある場合に限り，その患者を研究に参加させるべきである。
15. 研究参加の結果として損害を受けた被験者に対する適切な補償と治療が保証されなければならない。

〔日本医師会ホームページ（http://www.med.or.jp/wma/helsinki.html）より〕

4-2 治験計画届

1. 治験計画届

　治験依頼者または自ら治験を実施しようとする者は，あらかじめ厚生労働大臣に治験の計画を届け出なければならない（実際には，PMDA理事長宛）。また，「届出をした日から起算して30日を経過しなければ，医療機関に治験を依頼し，又は自ら治験を実施してはならない」と規定されている（下線部）。これは「30日調査」とよばれ，治験計画に関して「保健衛生上

の危害の発生を防止するために必要な調査」を実施するためのものである。なお，治験の実施状況等を明らかにし，治験の透明性を確保することで，被験者の保護，治験情報へのアクセスの確保，治験の活性化等に資するよう，国内の臨床研究データベース（Japan Registry of Clinical Trials；jRCT）に治験に係る情報を登録する。

> **根拠法令，通知等**
> ○医薬品，医療機器等の品質，有効性及び安全性の確保等に関する法律
> （治験の取扱い）
> 第80条の2（抜粋）
> 2　治験（薬物，機械器具等又は人若しくは動物の細胞に培養その他の加工を施したもの若しくは人若しくは動物の細胞に導入され，これらの体内で発現する遺伝子を含有するもの（以下「薬物等」という。）の依頼をしようとする者又は自ら治験を実施しようとする者は，あらかじめ，厚生労働省令で定めるところにより，厚生労働大臣に治験の計画を届け出なければならない。
> 3　前項本文の規定による届出をした者（当該届出に係る治験の対象とされる薬物等につき初めて同項の規定による届出をした者に限る。）は，当該届出をした日から起算して30日を経過した後でなければ，治験を依頼し，又は自ら治験を実施してはならない。この場合において，厚生労働大臣は，当該届出に係る治験の計画に関し保健衛生上の危害の発生を防止するため必要な調査を行うものとする。

2. 治験に関する届書の種類と提出時期

治験計画届書を提出してから，治験終了（中止）までに提出する可能性のある各種届書とその提出時期は，表4-12のとおり規定されている。

> **根拠法令，通知等**
> ○機械器具等に係る治験の計画等の届出の取扱い等について（令和2年8月31日薬生機審発0831第8号）

表4-12　治験に関する届書の種類

届書の種類	内　容
治験計画届書	（30日調査対象）実施医療機関との予定契約締結日の31日以上前に届け出ること
治験計画変更届書	原則として届出事項の変更前に治験計画届書ごとに届け出ること。ただし，通知（上記）に示す事例にあっては，変更後6カ月以内（治験分担医師の変更については1年以内）を目安としてまとめて届け出ることで差し支えない
治験中止届書	治験計画届書ごとに治験が中止されたつど遅滞なく届け出ること
治験終了届書	治験計画届書ごとにすべての医療機関からの治験を終了する旨の通知を受け，治験機器の回収が終了した時点で遅滞なく届け出ること

4-3 臨床評価と臨床研究および未承認医療機器の提供

1. 臨床評価

　臨床評価とは，予定する使用方法で用いられた際の臨床上の安全性および有効性について報告された医療機器に関する臨床データの評価ならびに分析のことである。一定レベルの国内外の文献などを用いた臨床評価報告書は，医療機器の製造販売承認申請の添付資料として添付できる場合がある。

　医療機器の特性から一義的に説明することが困難なことから，PMDAの対面助言（相談）制度のうちの臨床試験要否相談または開発前相談，レギュラトリーサイエンス（RS）総合相談およびRS戦略相談等を活用することが有効である。

　製造販売承認申請における承認実績では，国内での治験によらず海外での使用実績を中心とした文献調査をまとめた臨床評価報告書による承認も数件認められている。また，「先進医療・高度医療の一本化通知」では，一定要件を満足する先進医療の成果については「薬事承認申請の効率化を可能とする。RS戦略相談等を活用することも可能である」とされており，その運用が期待されている。

　臨床評価報告書の作成手順については，PMDAのホームページに掲載されている「臨床評価報告書及び臨床評価相談用資料作成の手引き」を参照されたい。

> **根拠法令，通知等**
> ○「「医療機器の臨床試験の実施の基準に関する省令」のガイダンスについて」の一部改正等について（令和3年7月30日薬生機審発0730第2号）
> ○「厚生労働大臣の定める先進医療及び施設基準の制定等に伴う実施上の留意事項及び先進医療に係る届出の取扱いについて」の一部改正について（令和3年11月30日薬医政発1130第1号／薬生発1130第2号／保発1130第1号）【先進医療・高度医療の一本化通知】

2. 臨床研究

①臨床研究法

　臨床研究とは，医療における疾病の予防方法，診断方法および治療方法の改善，疾病原因および病態の理解ならびに患者のQOL向上を目的として実施される表4-13に掲げる医学系研究であって，人を対象とするものをいう。ここでいう介入とは，予防，診断，治療，看護ケアおよびリハビリテーションなどについて表4-14の行為を行うことである。

　2013年以降，医薬品の臨床研究に係る不適正事案が相次いで発覚し，臨床研究の実施の手続や，臨床研究に関する資金等の提供に関する情報の公表の制度等を定める「臨床研究法」が制定され2018年4月1日から施行された。

　この法律が適用される臨床研究は，医薬品等（体外診断用医薬品を除く医薬品，医療機器，再生医療等製品）の有効性または安全性を明らかにする目的で，当該製品を人に対して投与または使用する行為のうち，医行為（医師の医学的判断および技術によるものでなければ人体に

表4-13 臨床研究に係る医学系研究の内容

1. 介入を伴う研究であって，医薬品または医療機器等を用いた予防，診断または治療方法に関するもの
2. 介入を伴う研究（上記1.を除く）
3. 介入を伴わず，試料などを用いた研究であって，疫学研究（下記4.）を含まないもの（観察研究）
4. 疫学研究（明確に特定された人間集団のなかで出現する健康に関するさまざまな事象の頻度および分布ならびにそれらの影響を与える要因を明らかにする科学研究をいう）

〔厚生労働省：臨床研究に関する倫理指針（平成20年7月31日全部改正より）〕

表4-14 介入に係る行為

1. 通常の診療を超えた医療行為であって，研究目的で実施するもの
2. 通常の診療と同等の医療行為であっても，被験者の集団を原則として2群以上のグループに分け，それぞれに異なる治療方法，診断方法，予防方法その他の健康に影響を与えると考えられる要因に関する作為または無作為の割付けを行ってその効果などをグループ間で比較するもの

〔厚生労働省：臨床研究に関する倫理指針（平成20年7月31日全部改正より）〕

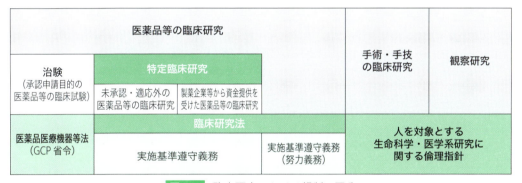

図4-1 臨床研究における規制の区分

〔厚生労働省ホームページより一部改変〕

危害を及ぼし，または及ぼす恐れのある行為）を伴う研究である。

臨床研究法の規制の区分を図4-1に示す。特に，未承認または適応外の医薬品等の臨床研究および製薬企業等から資金提供を受けた臨床研究を「特定臨床研究」といい，臨床研究法の基準遵守義務がある。臨床研究法に基づく臨床研究の実施・指導体制を図4-2に示した。また，臨床研究法の実施に関する手続および企業等の講ずべき措置，臨床研究法の適用除外範囲を表4-15および表4-16に，臨床研究の主な流れ（イメージ）を図4-3に示した。なお，厚生労働省ホームページに臨床研究法の特設サイトが設置され，Q&AやjRCT等の情報が掲載されている。

根拠法令，通知等
○臨床研究法（平成29年法律第16号）

図4-2 臨床研究法に基づく臨床研究の実施・指導体制

〔厚生労働省ホームページより〕

表4-15 臨床研究法の実施に関する手続および企業等の講ずべき措置

---

1. 臨床研究の実施に関する手続

(1) 特定臨床研究＊の実施に係る措置
①以下の特定臨床研究を実施する者に対して，モニタリング・監査の実施，利益相反の管理等の実施基準の遵守及びインフォームドコンセントの取得，個人情報の保護，記録の保存等を義務付け。
　＊特定臨床研究とは
　・医薬品医療機器等法における未承認・適応外の医薬品等の臨床研究
　・製薬企業等から資金提供を受けて実施される当該製薬企業等の医薬品等の臨床研究
②特定臨床研究を実施する者に対して，実施計画による実施の適否等について，厚生労働大臣の認定を受けた認定臨床研究審査委員会の意見を聴いた上で，厚生労働大臣に提出することを義務付け。
③特定臨床研究以外の臨床研究を実施する者に対して，①の実施基準等の遵守及び②の認定臨床研究審査委員会への意見聴取に努めることを義務付け。

(2) 重篤な疾病等が発生した場合の報告
　特定臨床研究を実施する者に対して，特定臨床研究に起因すると疑われる疾病等が発生した場合，認定臨床研究審査委員会に報告して意見を聴くとともに，厚生労働大臣にも報告することを義務付け。

(3) 実施基準違反に対する指導・監督
①厚生労働大臣は改善命令を行い，これに従わない場合には特定臨床研究の停止等を命じることができる。
②厚生労働大臣は，保健衛生上の危害の発生・拡大防止のために必要な場合には，改善命令を経ることなく特定臨床研究の停止等を命じることがてきる。

2. 製薬企業等の講ずべき措置
①製薬企業等に対して，当該製薬企業等の医薬品等の臨床研究に対して資金を提供する際の契約の締結を義務付け。
②製薬企業等に対して，当該製薬企業等の医薬品等の臨床研究に関する資金提供の情報等の公表を義務付け。

〔厚生労働省ホームページより〕

②臨床研究に関する生命・医学系指針

　人を対象とする医学系研究は，研究者が被験者の尊厳および人権を守るとともに適正かつ円滑に研究を行うことができるよう個人情報の保護に関する諸法令およびヘルシンキ宣言も踏ま

表4-16 臨床研究法の適用除外範囲

- ■治験（治験届けが必要なもの，治験届けが不要なもの）
- ■医薬品，医療機器，再生医療等製品の製造販売後調査等であって，再審査，再評価，使用成績評価に係るもの
- ■医療機器の認証に係る基準適合性に関する情報の収集のために行う試験（JIS規格に規定するものに限る。）
- ■いわゆる「観察研究」*
  *研究の目的で検査，投薬その他の診断又は治療のための医療行為の有無及び程度を制御することなく，患者のために最も適切な医療を提供した結果としての診療情報又は試料の収集により得られた情報を利用する研究

〔厚生労働省ホームページより〕

準備段階
- ◀ 実施計画及び研究計画書の作成（利益相反管理基準・計画を含む）
- ◀ 認定臨床研究審査委員会の審査
- ◀ 実施医療機関の管理者の許可
- ◀ 実施計画の厚生労働大臣への提出（DB上で手続き）
- ◀ 実施計画（WHO24項目等）のDB公開＝研究「開始」

jRCT：Japan Registry of Clinical Trials
地方厚生局で速やかに受理手続き

実施中
- ◀ 疾病等発生時の対応（委員会，厚生労働大臣への報告等）※内容に応じ，知ってから7，15日以内
- ◀ 定期報告（委員会，厚生労働大臣）※起算日から1年ごと
- ◀ モニタリング，（監査：リスクレベル等に応じ）
- ◀ 計画変更※委員会への意見具申が必要
  研究の進捗状況（募集中，募集終了等）は変更後遅滞なく，その他は変更前に厚生労働大臣へ提出
- ◀ 計画変更（軽微）※変更後10日以内に委員会へ通知，厚生労働大臣へ届出
- ◀（中止：研究計画書の中止基準に従う）※中止後10日以内に委員会へ通知，厚生労働大臣へ届出
- ◀ 主要評価項目報告書のDB記録・公表※具体的な手続きは，実施計画の変更手続きを準用
- ◀ 総括報告書概要のDB記録・公表＝研究「終了」
  ※研究「終了」後5年間，記録を保存する義務あり

データ収集終了から1年以内に作成し，その後遅滞なく，管理者に提出。提出前に，委員会の審査を受け，その後1か月以内にDBに記録することで公表。

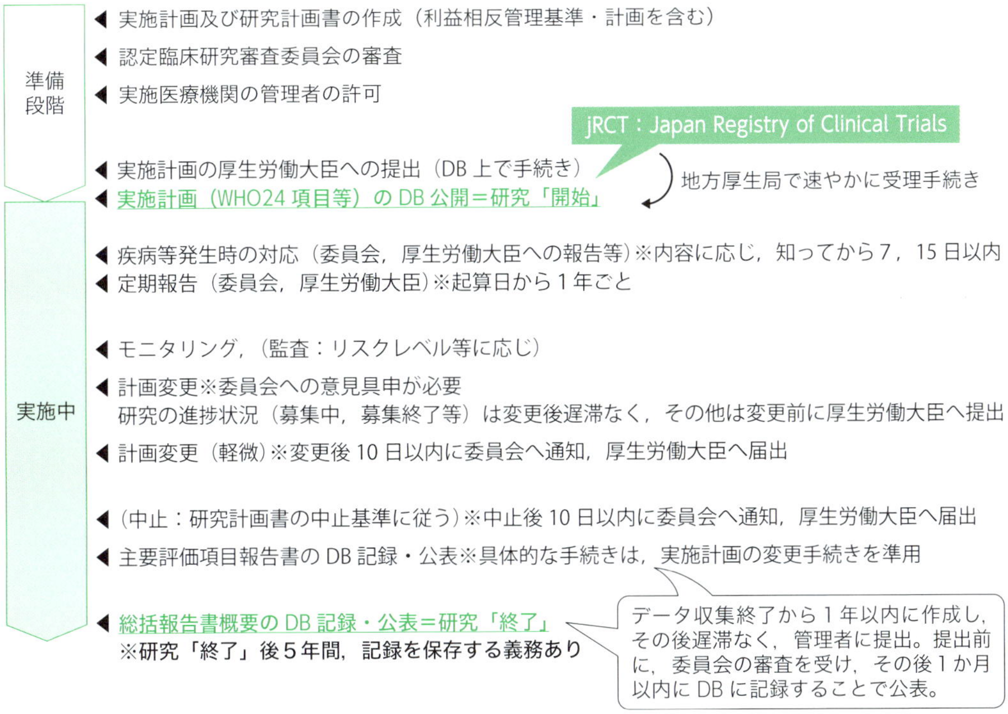

図4-3 臨床研究の主な流れ（イメージ）

〔厚生労働省ホームページより〕

え，2002年に「疫学研究に関する倫理指針」，2003年には「臨床研究に関する倫理指針」が定められ運用が図られてきた。ところが，研究の多様化に伴い両指針の適用関係が不明確になってきたことや，研究をめぐる不適正事案が発生したことなどを踏まえ，両指針の見直しと統合が行われ，2014年「人を対象とする医学系研究に関する倫理指針」が施行された。その後，2021年3月に「人を対象とする医学系研究に関する倫理指針」と「ヒトゲノム・遺伝子解析研究に関する倫理指針（2001年）」が一本化され「人を対象とする生命科学・医学系研究に関する倫理指針」が制定された（図4-4）。同指針の構成を図4-5に示す。

・両指針で共通に規定される項目については，記載の共通化が可能である
・ゲノム指針特有の規定項目の中に，医学系研究にも当てはまる考え方がある

などの理由から，医学系指針の規定内容を基本として，両指針を統合し，新たな指針を策定する方針とした。

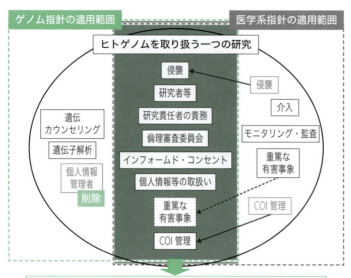

図4-4　医学系指針とゲノム指針との整合

〔厚生労働省ホームページより〕

目　次

総論

前文
第１章　総則
　第１　目的及び基本方針
　第２　用語の定義
　第３　適用範囲

責務

第２章　研究者等の責務等
　第４　研究者等の基本的責務
　第５　研究機関の長の責務等

手続き

第３章　研究の適正な実施等
　第６　研究計画書に関する手続
　第７　研究計画書の記載事項

第４章　インフォームド・コンセント等
　第８　インフォームド・コンセントを受ける手続等
　第９　代諾者等からインフォームド・コンセントを受ける場合の手続等

第５章　研究により得られた結果等の取扱い
第 10　研究により得られた結果等の説明

第６章　研究の信頼性確保
　第 11　研究に係る適切な対応と報告
　第 12　利益相反の管理
　第 13　研究に係る試料及び情報等の保管
　第 14　モニタリング及び監査
第７章　重篤な有害事象への対応
　第 15　重篤な有害事象への対応

第８章　倫理審査委員会
　第 16　倫理審査委員会の設置等
　第 17　倫理審査委員会の役割・責務等

第９章　個人情報等及び匿名加工情報
　第 18　個人情報等に係る基本的責務
　第 19　安全管理
　第 20　保有する個人情報の開示等
　第 21　匿名加工情報の取扱い

第１章	総論的な指針の概念や，用語の定義などを規定
第２章	研究を実施する上で遵守すべき責務や考え方を規定
第３～７章	研究者等が研究を実施する上で行う具体的手続等を規定
第８章	倫理審査委員会に関する規定
第９章	個人情報等及び匿名加工情報の取扱い等に関する規定

図4-5　人を対象とする生命科学・医学系研究に関する倫理指針の構成

〔厚生労働省ホームページより〕

> **根拠法令，通知等**
> ○人を対象とする生命科学・医学系研究に関する倫理指針（令和3年3月23日文部科学省・厚生労働省・経済産業省告示第1号）

　また，この指針の各規定の解釈や具体的な手続の留意点などについて，2021年4月16日付で「人を対象とする生命科学・医学系研究に関する倫理指針ガイダンス」が策定され，厚生労働省ホームページ等に掲載されている。

　この指針ガイダンスには，人を対象とする生命・医学系研究の実施にあたりすべての関係者が遵守すべき事項が定められている。また，研究機関の長は研究実施前に研究責任者が作成した研究計画書の適否を倫理審査委員会の意見を聴いて判断し，研究者等は研究機関の長の許可を受けた研究計画書に基づき研究を適正に実施することを求められる。研究者等，研究機関の長および倫理審査委員会をはじめとするすべての関係者は高い倫理観を保持し，人を対象とする生命・医学系研究が社会の理解および信頼を得て社会的に有益なものとなるよう，これらの原則を踏まえつつ適切に対応することが求められる。

　なお，この指針は2021年6月30日から施行された。指針に示される臨床研究を行う研究機関では，指針に基づき臨床研究が適正に行われるよう組織体制や内規の整備などの措置を講じる必要がある。

　妥当な臨床研究として考慮すべき事項とは，表4-17に掲げる要件を満たす研究のことである。これらのほか，「インフォームド・コンセント」，「被験者の個人情報の保護」，「被験者に生じた健康被害の補償のための保険その他の必要な措置」および「被験機器の安全性（非臨床

表4-17　妥当な臨床研究の要件

1. 「人を対象とする生命科学・医学系研究に関する倫理指針」および「人を対象とする生命科学・医学系研究に関する倫理指針ガイダンス」に基づき実施される臨床研究であること
2. 医師または歯科医師（以下，医師等）が主体的に実施する臨床研究であること（主体的に実施とは，医師等が自ら臨床研究の計画を立案し，企業などは医師等の求めに応じて未承認医療機器やその情報を提供すること）
3. 被験症例数，使用回数などの実施方法および実施機関などは，臨床研究の実施目的に即してあらかじめ合理的に設定されたものであり，かつ提供などされる未承認医療機器の数量が実施目的に照らして必要な範囲にとどまること
4. 臨床研究の実施期間および終了後に，疾病の診断，治療もしくは予防を目的とした使用を防止するための必要な措置を取ること（必要な措置とは，提供などされる未承認医療機器が当該臨床研究にのみ用いられるものであることを明示すること，また，その取り扱いに関してあらかじめ必要な事項を定めること（反復継続して使用が可能な機械器具にあっては，当該臨床研究の終了後に返却または廃棄することなど）などをいう）。
5. 臨床研究に用いられる未承認医療機器の提供などに際し発生した費用は，提供側の営利目的とみなされない範囲内（製造にかかる実費など）にとどまるものであること，また，臨床研究において，被験者の費用負担が生じる場合，同様に営利目的とみなされない範囲内にとどまること
6. 臨床研究は，医師等が主体となり，医療機関などの倫理審査委員会の承認と監督に基づき実施すること（「臨床研究に関する倫理指針」参照）

試験での確認など）の確保」は当然のことである。

3. 臨床研究で用いられる未承認医療機器の提供

　これまで，臨床研究において用いられる未承認医療機器の提供については個々のケースごとに判断されてきたが，2010年の医薬食品局長通知および2011年の同通知のQ&Aに関する監視指導・麻薬対策課長通知の発出により，一定の要件（妥当な臨床研究）を満たす場合には「医師等が主体的に実施する妥当な臨床研究への未承認医療機器の提供などには医薬品医療機器法が適用されない」（医薬品医療機器法違反ではない）ことが明確化された。なお，2018年の医薬・生活衛生局長通知により，臨床研究法の施行に伴い，基本的な考え方が整備された。

> **根拠法令，通知等**
> ○臨床研究において用いられる未承認の医薬品，医療機器及び再生医療等製品の提供等に係る医薬品，医療機器等の品質，有効性及び安全性の確保等に関する法律の適用について（平成30年4月6日薬食発0406第3号）

　また，臨床研究で用いられる未承認医療機器の提供等の仕方によっては，医薬品医療機器法に抵触するおそれがある（例えば，「妥当な臨床研究」であっても，「提供者が製造販売の承認を受けていない使用目的，効能・効果，性能などに着目して使用させる目的で医療機器を提供した場合」や「提供者が，製造販売の承認を受けた効能・効果など以外の効能などを標榜したり，パンフレットを使用したりするなど顧客の購買意欲を昂進させて提供などした場合」は，医薬品医療機器法の禁止行為に該当することがある）。

　なお，通知の解釈に疑義がある場合などは，PMDAの全般相談または各都道府県の薬務主管課に相談するのも有効な方法である。

　未承認医療機器の学会等への展示については，2017年の厚生労働省通知を参照されたい。詳細は第6章で解説する。

> **根拠法令，通知等**
> ○未承認医療機器の展示会等への出展について（平成29年6月9日薬生発0609第2号）

第5章

業態ほか

5-1 市場出荷のポイント

医療機器を「商品」として市場へ出荷するには，医薬品医療機器法の規定に適合しなければならない。医薬品医療機器法は，医薬品，医薬部外品，化粧品，医療機器および再生医療等製品の品質，有効性および安全性の確保ならびにこれらの使用による保健衛生上の危害の発生および拡大を防止するための規制である。この規制には，医療機器の製造業，製造販売業，販売業などの業許可など，上市のための製造販売業務および製造販売後安全管理などが含まれる。

大学などの研究機関で研究開発された医療機器であっても，医療機器の該当性判断，クラス分類およびそれらに適用される規制を理解し，医薬品医療機器法に定められる業態によって製造販売業務を行わなければ上市はできない。

5-2 医療機器の業態と参入ステップ

1. 医療機器の業態

医療機器を設計開発，製造してユーザーである医療機関などに納入するために必要な業態を図5-1に示す。

各業態における業許可などの種類には，表5-1のようなものがある。

2. 医療機器業界への参入ステップ

医療機器業界への参入については，表5-2のようなステップが考えられる。新規参入については，自社の法規制対応能力，生産体制，製造販売体制などを考慮して決定すべきである。

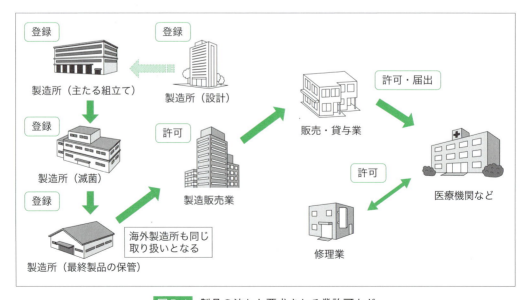

図5-1 製品の流れと要求される業許可など

表5-1 業態と手続き

業　態	手続き	備　考
製造販売業	許可	1法人1許可
製造所	登録	設計・主たる組立て・滅菌・最終製品の保管工程が対象，製造所ごとに登録
販売・貸与業	許可・届出	特定保守管理医療機器を取り扱う場合は許可，事業所ごとに許可・届出
修理業	許可	事業所ごとに許可

表5-2 医療機器業界への参入ステップ

参入ステップ	業務内容	法規制
部材供給，中間製品組立てなど	製造販売業者または製造業者による購買，委託による加工・組立て	受けない
登録製造所（法規制を受ける工程）	出荷責任は負わず，設計・主たる組立て・滅菌・最終製品の保管を行う	受ける
製造販売業のみ	出荷責任は負うが，製造工程は登録製造所に委託する（自社ブランドで製造販売）	受ける
製造販売業＋登録製造所	出荷責任を負い，製造も自社で行う（自社ブランドで製造販売）	受ける

5-3 企業の法令遵守体制

○2019年の改正法

　2014年から2017年にかけて，複数の医薬品関係の企業を中心に不正事件が発生した。自社の医薬品を用いた臨床研究を大学病院に委託し，データ作成に介入して作成した論文を用いて広告を行ったことが明らかになり，臨床研究における利益相反の問題，また適正な情報提供と広告のあり方について大きく問われた。また，血漿分画製剤において，承認書に記載された製造方法と異なる製造方法を長年にわたり継続することによって，製造記録を捏造したことが明るみに出た企業もあった。

　これらの医薬品医療機器法違反事例の分析から，違法状態であることを企業の役員が認識していながら，改善の措置をとっていない事例，また適切な業務運営体制や監督体制が構築できていないなど医薬品医療機器法における企業の役員の責任の認識がされていない事例が明らかとなった。このことを踏まえ，医薬品医療機器法で「薬事に関する業務に責任を有する役員」を定義し，その役割と責任を明確にし，いずれの業態においても企業の法令遵守に対する体制強化がより強く求められることになった（2021年8月1日より）。

5-4 製造販売業の許可

1. 許可の種類

　製造販売業は，医療機器のクラスに応じて許可の種類が規定されているため，製造販売する医療機器に応じた業許可取得が必要となる。表5-3は医療機器のクラス分類により取得すべき許可の種類を示す。製造販売業許可は，1法人1許可しか取得できない。第一種業許可を受けた者は，第二種および第三種業許可を，第二種業許可を取得すると第三種業許可を受けたとみなされる。

> **根拠法令，通知等**
> ○医薬品，医療機器等の品質，有効性及び安全性の確保等に関する法律
> （製造販売業の許可）
> 第23条の2

2. 製造販売業の役割

　製造販売業は，自らは製造できないが委託して製造あるいは製造業者から調達（輸入含む）して製造販売できる元売り業の位置付けである。したがって，製造販売した医療機器の市場における全責任を負うことになる。また，医療機器を上市するための規制である製造販売承認，認証，届出を行える業態である。

3. 許可の基準

　製造販売業の許可要件（基準）は，次の事項への適合である。
①申請に関する医療機器の製造管理または品質管理に関する業務を行う体制が，厚生労働省令で定める基準（QMS体制省令）に適合すること。
②申請に関する医療機器の製造販売後安全管理の方法が，厚生労働省令で定める基準（GVP省令）に適合すること。
③申請者が，不適格条項（医薬品医療機器法第5条第3項イ～ト）に該当しないこと。

表5-3 製造販売する医療機器と取得すべき業許可の種類

製造販売する医療機器の種類	許可の種類
高度管理医療機器（クラスⅣ，Ⅲ）	第一種製造販売業許可
管理医療機器（クラスⅡ）	第二種製造販売業許可
一般医療機器（クラスⅠ）	第三種製造販売業許可

> **根拠法令，通知等**
>
> ○医薬品，医療機器等の品質，有効性及び安全性の確保等に関する法律
>
> （許可の基準）
>
> 第5条第3項（抜粋）
>
> イ　第75条第1項の規定により許可を取り消され，取消しの日から3年を経過していない者
>
> ロ　第75条の2第1項の規定により登録を取り消され，取消しの日から3年を経過していない者
>
> ハ　禁錮以上の刑に処せられ，その執行を終わり，又は執行を受けることがなくなった後，3年を経過していない者
>
> ニ　イからハまでに該当する者を除くほか，この法律，麻薬及び向精神薬取締法，毒物及び劇物取締法（昭和25年法律第303号）その他薬事に関する法令で政令で定めるもの又はこれに基づく処分に違反し，その違反行為があった日から2年を経過していない者
>
> ホ　麻薬，大麻，あへん若しくは覚醒剤の中毒者
>
> ヘ　心身の障害により薬局開設者の業務を適正に行うことができない者として厚生労働省令で定めるもの
>
> ト　薬局開設者の業務を適切に行うことができる知識及び経験を有すると認められない者

4. 製造販売業の許可の申請

製造販売業の許可申請先は，総括製造販売責任者の常勤する事業所所在地の都道府県知事宛である。申請は，医薬品医療機器法施行規則の様式第9による申請書を提出する。医療機器の製造販売業の申請書には，表5-4の資料を添付する。また，許可申請書記載例を図5-2に示す。

表5-4 製造販売業の許可申請書に必要な添付資料

1. 申請者が法人であるときは，登記事項証明書
2. 申請者（申請者が法人であるときは，その業務を行う役員）に係る精神の機能の障害または申請者が麻薬，大麻，あへん若しくは覚醒剤の中毒者であるかないかに関する医師の診断書
3. 申請者が現に製造販売業の許可を受けている場合にあっては，当該製造販売業の許可証の写し
4. 申請者が法人であるときは，その組織図
5. 申請者以外の者がその総括製造販売責任者であるときは，雇用契約書の写しその他申請者のその総括製造販売責任者に対する使用関係を証する書類
6. 総括製造販売責任者が医薬品医療機器法第23条の2の14第1項に規定する者であることを証する書類
7. 製造管理または品質管理に係る業務を行う体制に関する書類
8. 製造販売後安全管理に係る体制に関する書類

図5-2 医療機器等製造販売業許可申請書記載例

〔東京都健康安全研究センターホームページより〕

根拠法令，通知等

○医薬品，医療機器等の品質，有効性及び安全性の確保等に関する法律施行規則
（医療機器及び体外診断用医薬品の製造販売業の許可の申請）
第114条の2

5-5 QMS体制省令

1. 制定の趣旨

　2014年に「医療機器及び体外診断用医薬品の製造管理及び品質管理の基準に関する省令」（以下，QMS省令）が改正され，これまで製造所ごとに医療機器等の製造管理および品質管理の基準の遵守を求めていたことが改められ，製造販売業者が遵守すべき事項となった。これを受けて，医療機器または体外診断用医薬品の製造販売業者の許可要件として，新たにQMS省令を遵守する体制の整備等の基準に適合することが求められるようになり，当該基準として新たに「医療機器又は体外診断用医薬品の製造管理又は品質管理に係る業務を行う体制の基準に関する省令」（以下，QMS体制省令）が制定された。

　また，2021年3月26日付けでQMS省令が改正され，ISO13485の2016年版がQMS省令に反映されたことに伴い一部を改正し条項番号の変更などがされた。改正内容については，省令，通知等を確認いただきたい。

> **根拠法令，通知等**
> ○医療機器及び体外診断用医薬品の製造管理及び品質管理の基準に関する省令〔平成16年12月17日厚生労働省令第169号（最終改正 令和3年3月26日厚生労働省令第60号）〕【QMS省令】

2. QMS体制省令の関連通知

　関連通知において新設されたQMS体制省令の制定趣旨，製造販売業許可としての当省令要求事項，業務を行う体制に関する書類，調査方法およびその評価基準が示されている。

> **根拠法令，通知等**
> ○医療機器又は体外診断用医薬品の製造管理又は品質管理に係る業務を行う体制の基準に関する省令（平成26年8月6日厚生労働省令第94号）（最終改正 令和3年3月26日薬生監麻発0326第8号）【QMS体制省令】

3. QMS体制省令の要求事項

①組織の体制に関する基準

　製造販売業者は，品質管理監督システム（QMS）の確立，文書化および実施ならびにその実効性の維持のために必要な組織体制，品質管理監督文書および記録の管理・保管を適切に行うため，表5-5に掲げる組織の体制を整備しなければならない。

表5-5　QMS体制省令で求められる組織体制

1. QMSの確立，文書化および実施ならびに実効性の維持
   （QMS省令第5条第1項）
2. 品質管理監督文書の管理および保管
   （QMS省令第8条および第67条）
3. 記録の管理および保管
   （QMS省令第9条および第68条）

根拠法令，通知等
○医療機器又は体外診断用医薬品の製造管理又は品質管理に係る業務を行う体制の基準に関する省令（平成26年8月6日厚生労働省令第94号）（最終改正　令和3年3月26日薬生監麻発0326第8号）【QMS体制省令】
（製造管理又は品質管理に係る業務に必要な体制）
第3条第1項関係

②人員の配置に関する基準

　製造販売業者は，QMS省令要求事項を遵守するため，総括製造販売責任者をQMS省令第71条第1項各号に掲げる業務を適正に行うことができるよう，また管理監督者（QMS省令第2条第16項に規定）をQMS省令第2章第3節の規定（管理監督者の責任）を遵守することができるよう適切に配置しなければならない。

根拠法令，通知等
○医療機器又は体外診断用医薬品の製造管理又は品質管理に係る業務を行う体制の基準に関する省令（平成26年8月6日厚生労働省令第94号）（最終改正　令和3年3月26日薬生監麻発0326第8号）【QMS体制省令】
（製造管理又は品質管理に係る業務に必要な体制）
第3条第2項関係

　QMS体制省令とQMS省令，医薬品医療機器法および同法施行規則との関係は，図5-3のようになる。

4. 必要な人員の配置

　QMS体制省令で規定されている責任者の配置とその業務および適用省令の関係について，図5-4に示す。また，責任者の要件等について以下に示す。

①管理監督者

　管理監督者とは，QMSに関する業務を最上位で管理監督する役員などをいう。品質方針を

【QMS体制省令】

条項	内容
第1条	趣旨
第2条	定義
第3条	製造管理又は品質管理に係る業務に必要な体制
第1項	必要な組織の体制の整備
第2項	必要な人員の配置
第4条	準用
第1項	選任外国製造医療機器等製造販売業者
第2項	選任外国製造指定高度管理医療機器等製造販売業者

【QMS省令，医薬品医療機器法・同法施行規則】

条項	内容
省令第5条	品質管理監督システムに係る要求事項
省令第6条	品質管理監督システムの文書化
省令第7条	品質管理監督システム基準書
省令第8条，第67条	品質管理監督文書の管理，保管期限
省令第9条，第68条	記録の管理，保管期限
省令第2条第10項	管理監督者の定義
省令第10条	管理監督者の関与
省令第15条	責任および権限
省令第16条	管理責任者
法第23条の2の14 規則第114条の49	総括製造販売責任者の設置及び遵守事項／基準
規則第114条の50 省令第71条	総括製造販売責任者の遵守事項／業務
省令第72条	国内品質業務運営責任者

図5-3　QMS体制省令とQMS省令等との関係

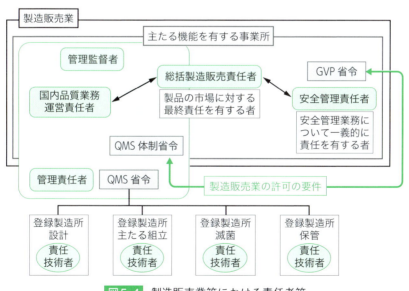

図5-4　製造販売業等における責任者等

定めること，管理監督者照査の実施および品質目標を定めるなどの業務を行うことによって，QMSの確立および実施とその実効性の維持に責任をもって関与していることを実証しなければならない。

　管理監督者は，すべての施設において各部門および当該部門の構成員に関する責任および権限が定められ，文書化され，周知されているようにしなければならない。また，品質に影響を

及ぼす業務を管理監督・実施，または検証する者すべてについて，相互の関係を定め，当該職務を行うために必要な独立性を確保するとともに，必要な責任および権限が与えられているようにしなければならない。

> **根拠法令，通知等**
> ○医療機器及び体外診断用医薬品の製造管理及び品質管理の基準に関する省令〔平成16年12月17日厚生労働省令第169号（最終改正 令和3年3月26日薬生監麻発0326第8号）〕【QMS省令】
> （管理監督者の関与）
> 第10条
> （責任及び権限）
> 第15条

②管理責任者

　管理責任者は，QMSの実施およびその実効性の維持の責任者として，製造販売業者等の役員，管理職の地位にある者，その他これに相当する者のうちから任命する。管理監督者は，管理責任者に工程が確立され実施されるとともにその実効性の維持，QMSの実施状況およびその改善の必要性について管理監督者へ報告させるとともにすべての施設において，法令の規定等および製品受領者要求事項についての認識を向上させる業務に関する責任や権限を与えなければならない。

> **根拠法令，通知等**
> ○医療機器及び体外診断用医薬品の製造管理及び品質管理の基準に関する省令〔平成16年12月17日厚生労働省令第169号（最終改正 令和3年3月26日薬生監麻発0326第8号）〕【QMS省令】
> （管理責任者）
> 第16条

③医療機器等総括製造販売責任者

　医療機器の製造販売業者は，医療機器の製造管理および品質管理（QMS省令）ならびに製造販売後安全管理（GVP省令）の業務を行わせるために，総括製造販売責任者を置かなければならない。

> **根拠法令，通知等**
> ○医薬品，医療機器等の品質，有効性及び安全性の確保等に関する法律
> （医療機器等総括製造販売責任者等の設置及び遵守事項）
> 第23条の2の14

医療機器等総括製造販売責任者は遵守事項として，製造管理および品質管理ならびに製造販売後安全管理業務に関する法令および実務に精通し公正かつ適正に当該業務を行い，そのために必要があると認めるときは製造販売業者に対し文書により必要な意見を述べ，その写しは5年間保存する。また，そのために医療機器または体外診断用医薬品の国内における品質管理に関する業務の責任者（国内品質業務運営責任者）および製造販売後安全管理に関する業務の責任者（医療機器等安全管理責任者）との相互の密接な連携を図ることが定められている。

> **根拠法令，通知等**
> ○医薬品，医療機器等の品質，有効性及び安全性の確保等に関する法律施行規則
> （医療機器等総括製造販売責任者の遵守事項）
> 第114条の50

また，業務として，製品の出荷の決定その他の製造管理および品質管理に関する業務を統括し責任を負い，業務を公正かつ適正に行うために必要があると認めるときは，製造販売業者，管理監督者，その他の当該業務に関して責任を有する者に対し文書により必要な意見を述べ，その写しを5年間保管する。さらに，国内品質業務運営責任者を監督し，管理責任者および国内品質業務運営責任者の意見を尊重すること，製造管理または品質管理に関係する部門と製造販売後安全管理基準（GVP省令）に規定する安全管理統括部門との密接な連携を図らせることが定められている。

> **根拠法令，通知等**
> ○医療機器及び体外診断用医薬品の製造管理及び品質管理の基準に関する省令〔平成16年12月17日厚生労働省令第169号（最終改正 令和3年3月26日厚生労働省令第60号）〕【QMS省令】
> （医療機器等総括製造販売責任者の業務）
> 第71条

医療機器等総括製造販売責任者の資格要件（基準）は，医薬品医療機器法施行規則において表5-6のように規定されている。

> **根拠法令，通知等**
> ○医薬品，医療機器等の品質，有効性及び安全性の確保等に関する法律施行規則
> （医療機器等総括製造販売責任者の基準）
> 第114条の49

④ 国内品質業務運営責任者

QMS省令に従って行う国内の製品の品質管理業務の責任者として，国内に所在する施設には国内品質業務運営責任者を置かなければならない。国内品質業務運営責任者の要件（基準）を表5-7に示す。

表5-6 医療機器等総括製造販売責任者の資格要件

製造販売業の種類	第一種/第二種製造販売業	第三種製造販売業のみ
要件（基準）	大学等で物理学，化学，生物学，工学，情報学，金属学，電気学，機械学，薬学，医学または歯学に関する専門の課程を修了した者	高校またはこれと同等以上の学校で，物理学，化学，生物学，工学，情報学，金属学，電気学，機械学，薬学，医学または歯学に関する専門の課程を修了した者
	高校またはこれと同等以上の学校で，物理学，化学，生物学，工学，情報学，金属学，電気学，機械学，薬学，医学または歯学に関する専門の課程を修了後 ＋ 医薬品，医療機器または再生医療等製品の品質管理または製造販売後安全管理に関する業務に3年以上従事した者	高校またはこれと同等以上の学校で，物理学，化学，生物学，工学，情報学，金属学，電気学，機械学，薬学，医学または歯学に関する科目を修了後 ＋ 医薬品，医薬部外品，化粧品，医療機器または再生医療等製品の品質管理または製造販売後安全管理に関する業務に3年以上従事した者
	医薬品，医療機器または再生医療等製品の品質管理または製造販売後安全管理に関する業務に5年以上従事後 ＋ 別に厚生労働省令で定めるところにより厚生労働大臣の登録を受けた者が行う講習を修了した者	
	厚生労働大臣が上記の者と同等以上の知識経験を有すると認めた者	厚生労働大臣が上記の者と同等以上の知識経験を有すると認めた者

表5-7 国内品質業務運営責任者の要件

1. 製造販売業者における品質保証部門の責任者
2. 品質管理業務その他これに類する業務に3年以上従事した者
3. 国内の品質管理業務を適正かつ円滑に遂行しうる能力を有する者
4. 医療機器等の販売に係る部門に属する者でないこと，その他国内の品質管理業務の適正かつ円滑な遂行に支障を及ぼすおそれがない者

　国内品質業務運営責任者は，QMS省令の規定に基づき作成された手順書などに基づき製造販売業者の国内の品質管理業務を統括し，品質管理業務が適正かつ円滑に行われていることを確認する。また，国内に流通させる製品について，市場への出荷の決定をロットごと（ロットを構成しない医療機器等では，製造番号または製造記号ごと）に行い，その結果および出荷先など市場への出荷の記録を作成しなければならない。

根拠法令，通知等
○医療機器及び体外診断用医薬品の製造管理及び品質管理の基準に関する省令〔平成16年12月17日厚生労働省令第169号（最終改正　令和3年3月26日厚生労働省令第60号）〕
【QMS省令】
（国内品質業務運営責任者）
第72条

⑤製造販売業者における責任者の兼務

責任者の兼務は，それぞれの責任者の要件（基準）に適合する場合および業務上支障のない限りにおいて可能とされている（表5-8）。

> **根拠法令，通知等**
> ○医療機器及び体外診断用医薬品の製造管理及び品質管理の基準に関する省令〔平成16年12月17日厚生労働省令第169号（最終改正 令和3年3月26日厚生労働省令第60号）〕【QMS省令】
> （医療機器等総括製造販売責任者の業務）
> 第71条第2項
> （国内品質業務運営責任者）
> 第72条第5項
> ○薬事法等の一部を改正する法律等の施行等について（平成26年8月6日薬食発0806第3号）

表5-8 兼務可能な責任者

責任者	兼務可能な責任者
総括製造販売責任者	管理監督者もしくは管理責任者または国内品質業務運営責任者との兼務が可能である。
国内品質業務運営責任者	管理責任者との兼務は可能である。
第一種製造販売業者	総括製造販売責任者と国内品質業務運営責任者との兼務は可能である。
第二種製造販売業者	総括製造販売責任者と国内品質業務運営責任者との兼務は可能である。総括製造販売責任者が国内品質業務運営責任者を兼務していない場合，総括製造販売責任者と安全管理責任者との兼務は可能である。
第三種製造販売業者	総括製造販売責任者，国内品質業務運営責任者および安全管理責任者の兼務は可能である。

（注）兼務にあたっては，業務に支障のないこと，およびそれぞれの資格要件を満たすことが必要。

5．QMS体制省令適合資料

QMS体制省令への適合を示すため，製造管理および品質管理に関する業務に従事する表5-9に示す者の責務および管理体制を記載した書類が求められる。製造販売業許可申請時は，総括製造販売責任者は求められるが，管理監督者は求められない。

表5-9 責務および管理体制を記載した書類が求められる責任者

1. 管理監督者
2. 管理責任者
3. 総括製造販売責任者
4. 国内品質業務運営責任者

5-6 GVP省令

1. 制定の趣旨

医薬品医療機器法により再生等医療製品が新たに定義されたことに伴い「医薬品，医薬部外品，化粧品，医療機器及び再生医療等製品の製造販売後安全管理の基準に関する省令」（以下，GVP省令という）に改められた。GVP（Good Vigilance Practice）省令への適合は，製造販売業の許可要件となっている。

> **根拠法令，通知等**
> ○医薬品，医薬部外品，化粧品，医療機器及び再生医療等製品の製造販売後安全管理の基準に関する省令〔平成16年9月22日厚生労働省令第135号（最終改正 平成29年7月31日厚生労働省令80号）〕【GVP省令】

2. 製造販売後安全管理

医療機器を製造販売するにあたって，その製品の品質，有効性および安全性の確保などは必須である。適切な製造管理および品質管理の基準としてQMS省令，適切な製造販売後安全管理の基準としてGVP省令が制定され，製造販売業者等の遵守基準になっている。この省令において重要となる安全管理情報，安全確保業務は次のように定義されている。

①安全管理情報

医薬品等（医療機器を含む）の品質，有効性および安全性に関する事項，その他医薬品等の適正な使用のために必要な情報をいう。

②安全確保業務

製造販売後安全管理に関する業務のうち，安全管理情報の収集，その情報の解析・検討，措置の立案と指示，措置の実施（安全確保措置）に関する業務をいう。

> **根拠法令，通知等**
> ○医薬品，医薬部外品，化粧品，医療機器及び再生医療等製品の製造販売後安全管理の基準に関する省令〔平成16年9月22日厚生労働省令第135号（最終改正 平成29年7月31日厚生労働省令80号）〕【GVP省令】
> （定義）
> 第2条

医療機器の製造販売後安全確保措置の業務イメージを図5-5に示す。

3. GVP省令とその関連通知

GVP省令改正の概要，GVP省令の逐条解説，製造販売後安全管理に関する業務委託につい

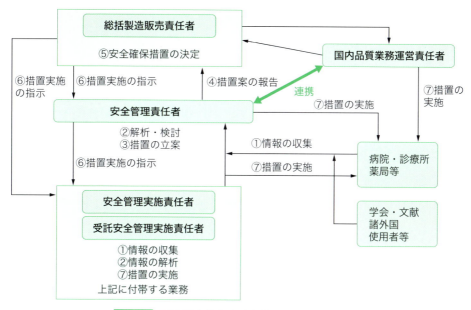

図5-5 製造販売後安全確保措置の業務イメージ

て，さらに製造販売業の許可申請または製造販売業更新申請があった際のGVP適合性調査の評価項目および評価方法について通知にて示されている。

> 根拠法令，通知等
> ○医薬品，医薬部外品，化粧品，医療機器及び再生医療等製品の製造販売後安全管理の基準に関する省令等の施行について（平成26年8月12日薬食発0812第4号）
> ○医薬品，医薬部外品，化粧品，医療機器及び再生医療等製品の製造販売後安全管理の基準に関する適合性評価について（平成26年9月30日薬食安発0930第2号）

4．GVP省令の要求事項

①GVP省令の要求条項と各製造販売業者への適用

　GVP省令は，第2章が第一種製造販売業者，第3章が第二種製造販売業者，第4章が第三種製造販売業者に対する要求事項になっている。GVP基準の適用について表5-10に示す。

②安全確保業務に関する組織と職員ならびに安全管理責任者の業務

　GVP省令における総括製造販売責任者の業務は，安全管理責任者の監督，安全管理責任者の意見尊重および安全管理責任者と国内品質業務運営責任者その他必要な責任者との密接な連携を図らせることである（第3条）。第一種製造販売業者は，総括製造販売責任者の監督下にあって販売部門などから独立し，十分な人員を有する「安全管理統括部門」を設置しなければならない。また，当該安全管理統括部門の責任者として，安全確保業務などの業務に3年以上従事した者で安全確保業務を適正かつ円滑に遂行しうる能力を有する者を置かなければならな

表5-10 GVP基準の適用

章	条項	製造販売業 一種	製造販売業 二種	製造販売業 三種
第2章 第一種製造販売業者の GVP基準	第3条　総括製造販売責任者の業務	○	○	○
	第4条　安全確保業務に係る組織及び職員	○	−	−
	第5条　製造販売後安全管理業務手順書等	○	△	−
	第6条　安全管理責任者の業務	○	○	○
	第7条　安全管理情報の収集	○	△	△
	第8条　安全管理情報の検討及びその結果に基づく安全確保措置の立案	○	△	△
	第9条　安全確保措置の実施	○	△	△
	第9の3（医療機器リスク管理），第10条（市販直後調査）	○	△	−
	第11条　自己点検	○	○	−
	第12条　製造販売後安全管理に関する業務に従事する者に対する教育訓練	○	○	−
第3章 第二種製造販売業者の GVP基準	第13条　安全確保業務に係る組織及び職員	−	○	○
	第14条　準用	−	○	−
第4章 第三種製造販売業者の GVP基準	第15条　準用	−	−	○
第5章 雑則	第16条　安全確保業務に係る記録の保存	○	○	○

○：条文中のすべてが適用，△：一部適用されない項目あり，−：適用されない

い（第4条第2項）。第二種/第三種医療機器製造販売業者には部門設置および責任者の3年以上の従事経験は求めていない。

　安全管理責任者の業務は，安全確保業務の統括，およびその業務が適正かつ円滑に行われているかの確認とその記録作成である。また，必要があると認めるときには総括製造販売責任者に対し文書により意見を述べその写しを保存することとされている（第6条）。

③製造販売後安全管理業務手順書等

　製造販売業者は，製造販売後安全管理を適正かつ円滑に行うため，表5-11に掲げる手順を記載した製造販売後安全管理業務手順書を作成しなければならない（第三種製造販売業者には要求されない）（第5条第1項，第14条第1項，第15条第1項）。

④安全管理情報の収集・検討および安全確保措置の立案ならびに実施

　第一種製造販売業者は，製造販売後安全管理業務手順書等に基づき表5-12に掲げる安全管理情報を安全管理責任者または安全管理実施責任者（第二種/第三種製造販売業者には要求なし）に収集させ，その記録を作成させなければならない（第7条第1項）。

表5-11　製造販売後安全管理業務手順書に記載する項目

1. 安全管理情報の収集に関する手順
2. 安全管理情報の検討およびその結果に基づく安全確保措置の立案に関する手順
3. 安全確保措置の実施に関する手順
4. 安全管理責任者から総括製造販売責任者への報告に関する手順
5. 安全管理実施責任者から安全管理責任者への報告に関する手順〔第二種／第三種製造販売業者は不要（第14条，第15条）〕
6. 第一種製造販売業者が医薬品等リスク管理を行う場合，医薬品等リスク管理に関する手順
7. 第一種製造販売業者が市販直後調査を行う場合，市販直後調査に関する手順
8. 自己点検に関する手順
9. 製造販売後安全管理に関する業務に従事する者に対する教育訓練に関する手順
10. 製造販売後安全管理に関する業務に係る記録の保存に関する手順
11. 品質保証責任者等その他の処方箋医薬品，高度管理医療機器又は再生医療等製品の製造販売に係る業務の責任者との相互の連携に関する手順
12. 第一種製造販売業者が医薬品等リスク管理を行う場合，製造販売後調査等管理責任者との相互の連携に関する手順
13. その他製造販売後安全管理に関する業務を適正かつ円滑に行うために必要な手順

表5-12　第一種製造販売業者が収集・記録すべき安全管理情報

1. 医療関係者からの情報
2. 学会報告，文献報告その他研究報告に関する情報
3. 厚生労働省その他政府機関，都道府県およびPMDAからの情報
4. 外国政府，外国法人等からの情報
5. 他の製造販売業者等からの情報
6. その他安全管理情報

　製造販売業者は，製造販売後安全管理業務手順書等に基づき安全管理責任者に収集させた安全管理情報を遅滞なく検討させ，安全管理情報について国内品質業務運営責任者が把握する必要があると認められるものは文書で提供する。また，安全管理責任が必要があると認めるときは，廃棄・回収・販売の停止・添付文書の改訂・医療機器情報担当者による医療関係者への情報の提供または法に基づく厚生労働大臣への報告その他安全確保措置を立案させ，その案を総括製造販売責任者に文書により報告し，その写しを保存しなければならない（第8条第1項）。

　また，総括製造販売責任者に安全確保措置案を評価させ，措置を決定し記録の作成と保管を行わせる。安全確保措置を安全管理責任者に行わせる場合には，その実施について文書にて指示しこれを保管させる。安全確保措置を安全管理実施責任者に行わせる場合も同様である（第9条第1項）。

　そのほか，安全管理責任者に上記総括製造販売責任者の指示に基づき，安全確保措置を行わせ，その記録を作成し保存させなければならない（第9条第2項）。

⑤自己点検

　製造販売業者は，製造販売後安全管理業務手順書などに基づきあらかじめ指定した者（安全

管理責任者の場合とそれ以外の者の場合がある）に製造販売後安全管理に関する業務について定期的に自己点検を行わせなければならない（第11条）〔第三種製造販売業者には要求なし（第14条）〕。指定された者は，自己点検記録を作成し保存する。安全管理責任者以外の者であるときは，安全管理責任者に文書報告させなければならない。

また，総括製造販売責任者に自己点検の結果に基づく製造販売後安全管理の改善の必要性を検討させ，その必要性があるときは所要の措置を講じさせなければならない。

⑥教育訓練

製造販売業者は，総括製造販売責任者に教育訓練計画を作成させ，あらかじめ指定した者（安全管理責任者の場合とそれ以外の者の場合がある）に製造販売後安全管理に関する訓練を計画的に行わせなければならない（第12条）〔第三種製造販売業者には要求なし（第14条）〕。指定された者は，教育訓練の記録を作成し保存する。安全管理責任者以外の者であるときは，安全管理責任者に文書報告させなければならない。

⑦安全確保業務に関する記録の保存

GVP省令の規定により保存することとされている文書，その他の記録は，当該記録を利用しなくなった日から5年間保存しなければならない（特定保守管理医療機器および設置管理医療機器は利用しなくなった日から15年間，自己点検および教育訓練の記録は作成した日から5年間）（第16条）。

⑧不具合などの報告制度

安全確保措置の一つとして医薬品医療機器法およびその施行規則では，副作用などの報告（医療機器では不具合等報告という）と回収報告（医療機器の場合，改修も含まれる）が規定されている。詳細は，第6章「6-4 市販後安全対策」で解説する。

> **根拠法令，通知等**
>
> ○医薬品，医療機器等の品質，有効性及び安全性の確保等に関する法律
> （副作用等の報告）
> 第68条の10
> （回収の報告）
> 第68条の11

5-7 医療機器の製造業の登録制

1. 製造業の登録制への移行

医薬品医療機器法の施行により医療機器の製造業は許可制から登録制へ移行し，外国の製造

業についても認定制から登録制に移行した。許可制から登録制に移行したことでこれまでの薬局等構造設備規則も除外され，従来申請者の不適格条項に該当しないことを確認するために医薬品医療機器法改正前の許可申請書には医師の診断書の添付が規定されていたが，登録制への移行により登録申請書には疎明する書類を添付することでよいことになった。

> **根拠法令，通知等**
>
> ○医薬品，医療機器等の品質，有効性及び安全性の確保等に関する法律
> （製造業の登録）
> 第23条の2の3（抜粋）
> 　業として，医療機器の製造（設計を含む。）をしようとする者は，製造所（医療機器又は体外診断用医薬品の製造工程のうち設計，組立て，滅菌その他の厚生労働省令で定めるものをするものに限る。）ごとに，厚生労働省令で定めるところにより，厚生労働大臣の登録を受けなければならない。
> 2　製造業の登録を受けようとする者は，次に掲げる事項を記載した申請書を厚生労働大臣に提出しなければならない。
> 　1　氏名又は名称及び住所並びに法人にあってはその代表者の氏名
> 　2　製造所の所在地
> 　3　その他厚生労働省令で定める事項
> （医療機器等外国製造業者の登録）
> 第23条の2の4（抜粋）
> 　外国において本邦に輸出される医療機器又は体外診断用医薬品を製造しようとする者（以下「医療機器等外国製造業者」という。）は，製造所ごとに，厚生労働大臣の登録を受けることができる。

2．製造業の登録関連通知

　関連通知で，製造業の登録の範囲の考え方のほか，製造業の取り扱いについて具体的事例がQ&A形式で示されている。

> **根拠法令，通知等**
>
> ○医療機器及び体外診断用医薬品の製造業の取扱いについて（平成26年10月3日薬食機参発1003第1号）
> ○医療機器及び体外診断用医薬品の製造業の取扱いに関する質疑応答集（Q&A）について（平成26年10月20日薬食機参発1020第4号）

3．登録の範囲

①製造業の登録を受ける製造所の製造工程

　製造業の登録を受ける製造所の製造工程は，医療機器の種類に応じて規定されている。

> **根拠法令,通知等**
> ○医薬品,医療機器等の品質,有効性及び安全性の確保等に関する法律施行規則
> (製造業の登録を受ける製造所の製造工程)
> 第114条の8(抜粋)
> 1　医療機器プログラム　設計
> 2　医療機器プログラムを記録した記録媒体たる医療機器　次に掲げる製造工程
> 　イ　設計,ロ　国内における最終製品の保管
> 3　一般医療機器　次に掲げる製造工程
> 　イ　主たる組立てその他の主たる製造工程(設計,滅菌及び保管を除く。第5号ロにおいて同じ。),ロ　滅菌,ハ　国内における最終製品の保管
> 4　単回使用の医療機器(一回限り使用できることとされている医療機器をいう。以下同じ。)のうち,再製造(単回使用の医療機器が使用された後,新たに製造販売をすることを目的として,これに検査,分解,洗浄,滅菌その他必要な処理を行うことをいう。以下同じ。)をされたもの(以下「再製造単回使用医療機器」という。)　次に掲げる製造工程
> 　イ　設計,ロ　使用された単回使用の医療機器の受入,分解及び洗浄等,ハ　主たる組立てその他の主たる製造工程(設計,使用された単回使用の医療機器の受入,分解及び洗浄等,滅菌並びに保管を除く。),ニ　滅菌,ホ　国内における最終製品の保管
> 5　前各号に掲げる医療機器以外の医療機器　次に掲げる製造工程
> 　イ　設計,ロ　主たる組立てその他の主たる製造工程,ハ　滅菌,ニ　国内における最終製品の保管

②製造工程の具体的な考え方

製造業の登録を要する製造工程の具体的な考え方は以下のとおりである。

■設　計

製造販売承認または認証を要する医療機器の設計開発に責任を有する者がいる施設であって,当該設計開発に関する記録を管理している場所を登録すること(QMS省令第30条～36条の適合性調査対象施設)。設計開発施設が当該医療機器の製造販売業の主たる機能を有する事務所と同一である場合には,当該施設における製造業の登録は必要としない。この場合,QMS省令の設計開発規定の適合性については,当該製造販売業の主たる機能を有する事務所を対象としてQMS適合性調査が行われる。一般医療機器についてのみ設計開発を行う施設は登録を要しない。

■主たる組立てその他の主たる製造工程

医療機器の製造実態がある施設のうち,当該品目に関するQMSまたは製品実現に実質的に責任を有する施設を登録する。

■ 滅　菌
滅菌医療機器の滅菌を行う施設を登録する。
■ 国内における最終製品の保管
最終製品を保管する施設のうち，市場への出荷判定時に製品を保管している施設を登録する。

複数の製造工程を有する施設は製造業として登録するのみで，製造所の責任技術者は1人置けばよい。製造工程と製造所登録要否を表5-13に示す。

> 根拠法令，通知等
> ○医療機器及び体外診断用医薬品の製造業の取扱いについて（平成26年10月3日薬食機参発1003第1号）

表5-13　製造工程と製造所登録要否

製造工程	医療機器 （右記以外）	単回使用の 医療機器	医療機器 プログラム	医療機器プログラムの記録媒体
設　計	○	○	○	○
使用された単回使用の医療機器の受入，分解，洗浄等	×	○	×	×
主たる製造工程 （主たる組立など）	○	○	×	×
滅　菌	○	○	×	×
国内における 最終製品の保管	○	○	×	○

○：登録要，×：登録不要

4. 登録製造所の責任技術者
①責任技術者の設置

製造業者は，医療機器の製造を実地に管理させるために，製造所ごとに表5-14のいずれかに該当する責任技術者を置かなければならない。

> 根拠法令，通知等
> ○医薬品，医療機器等の品質，有効性及び安全性の確保等に関する法律
> （医療機器等製造販売責任者等の設置）
> 第23条の2の14第3項

表5-14 医療機器責任技術者の資格要件

製造所の形態	高度管理／管理医療機器製造所	一般医療機器のみの製造所
根拠条項	医薬品医療機器法施行規則第114条の53第1項	医薬品医療機器法施行規則第114条の53第2項
要件（基準）	大学等で，物理学，化学，生物学，工学，情報学，金属学，電気学，機械学，薬学，医学または歯学に関する専門の課程を修了した者	高校またはこれと同等以上の学校で，物理学，化学，生物学，工学，情報学，金属学，電気学，機械学，薬学，医学または歯学に関する専門の課程を修了した者
	高校またはこれと同等以上の学校で，物理学，化学，生物学，工学，情報学，金属学，電気学，機械学，薬学，医学または歯学に関する専門の課程を修了後 ＋ 医療機器の製造に関する業務に3年以上従事した者	高校またはこれと同等以上の学校で，物理学，化学，生物学，工学，情報学，金属学，電気学，機械学，薬学，医学または歯学に関する科目を修得後 ＋ 医療機器の製造に関する業務に3年以上従事した者
	医療機器の製造に関する業務に5年以上従事後 ＋ 別に厚生労働省令で定めるところにより厚生労働大臣の登録を受けた者が行う講習を修了した者	
	厚生労働大臣が上記の者と同等以上の知識経験を有すると認めた者	厚生労働大臣が上記の者と同等以上の知識経験を有すると認めた者

②設計のみを行う製造所の責任技術者

製造業者が設計に関する部門の責任者として指定する者を責任技術者とすることができる。

根拠法令，通知等
○医薬品，医療機器等の品質，有効性及び安全性の確保等に関する法律施行規則
（医療機器責任技術者の資格）
第114条の53

5. 製造業の登録の申請

製造業の登録の申請先は，事業所所在地の都道府県知事宛である。医薬品医療機器法施行規則様式第63の2による申請書を提出することによって行う。製造業の登録申請書記載例を図5-6に示す。申請書には，表5-15の資料を添付する。

根拠法令，通知等
○医薬品，医療機器等の品質，有効性及び安全性の確保等に関する法律施行規則
（製造業の登録の申請）
第114条の9

第5章 業態ほか

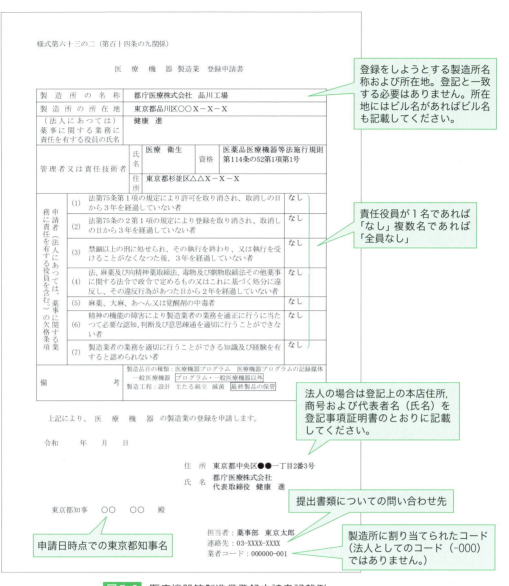

図5-6 医療機器等製造業登録申請書記載例

〔東京都健康安全研究センターホームページより〕

表5-15 製造業の登録申請書に必要な添付資料

1. 申請者が法人であるときは，登記事項証明書
2. 申請者（申請者が法人であるときは，その業務を行う役員）が法第5条第3号ホおよびヘに該当しないことを疎明する書類
3. 申請者以外の者がその医療機器責任技術者または体外診断用医薬品製造管理者であるときは，雇用契約書の写しその他申請者のその医療機器責任技術者又は体外診断用医薬品製造管理者に対する使用関係を証する書類
4. 医療機器責任技術者が第114条の53に掲げる者であることまたは体外診断用医薬品製造管理者が薬剤師であることを証する書類
5. 登録を受けようとする製造所の場所を明らかにした図面
6. 申請者が他の製造業の許可または登録を受けている場合にあっては，当該製造業の許可証または登録証の写し

5-8 医療機器の製造管理および品質管理の基準

1. 品質マネジメントシステム

①QMS

QMS省令は「医療機器及び体外診断用医薬品の製造管理及び品質管理の基準に関する省令」となっているが，第2章第2節はQMS（ISO 13485では品質マネジメントシステム）要求事項となっている。QMS省令でQMSとは，製造販売業者等が品質に関して管理監督を行うためのシステムをいう。

> **根拠法令，通知等**
> ○医療機器及び体外診断用医薬品の製造管理及び品質管理の基準に関する省令〔平成16年12月17日厚生労働省令第169号（最終改正 令和3年3月26日厚生労働省令第60号）〕
> 【QMS省令】
> （定義）
> 第2条第13項

②医療機器のライフサイクルと法規制

医療機器のライフサイクルと法規制は，図5-7のように市販前（製造販売承認/認証申請，届出など），製造段階および市販後の段階については業態としては製造販売業者が主体となり，製造業は製造段階のみを担当することになる。遵守基準としては全段階においてQMS省令（QMS基準）が適用され，市販後の安全管理についてはGVP省令（GVP基準）が適用される。

医療機器の市販前，製造段階および市販後の段階におけるQMS省令の位置付けは，図5-7のようになる。

③医療機器の製造販売承認および認証申請内容の維持

医療機器そのものの製造管理または品質管理の方法がQMS省令に適合していないときは，

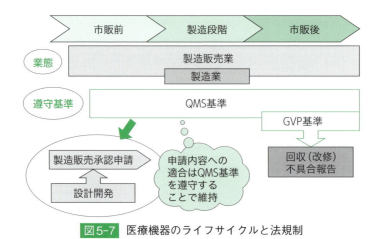

図5-7 医療機器のライフサイクルと法規制

製造販売承認または認証を与えないとされている。

> **根拠法令，通知等**
> ○医薬品，医療機器等の品質，有効性及び安全性の確保等に関する法律
> （医療機器及び体外診断用医薬品の製造販売の承認）
> 第23条の2の5第2項第4号
> （指定高度管理医療機器等の製造販売の認証）
> 第23条の2の23第2項第5号

製造販売承認または認証を受けた者は，その承認または認証を受けた事項の一部を変更しようとするとき，および5年を経過するごとにQMS適合性調査を受けなければならない。

> **根拠法令，通知等**
> ○医薬品，医療機器等の品質，有効性及び安全性の確保等に関する法律
> （医療機器及び体外診断用医薬品の製造販売の承認）
> 第23条の2の5第7項
> （指定高度管理医療機器等の製造販売の認証）
> 第23条の2の23第4項

製造販売業者等は，その製造販売する医療機器の製造管理または品質管理の方法をQMS省令に適合させなければならない。限定第三種製造販売業者は，一部適用されない。

> **根拠法令，通知等**
> ○医薬品，医療機器等の品質，有効性及び安全性の確保等に関する法律施行規則
> （製造管理又は品質管理の方法の基準への適合）
> 第114条の58

> **根拠法令，通知等**
> ○医薬品，医療機器等の品質，有効性及び安全性の確保等に関する法律施行令
> （製造管理又は品質管理の方法の基準を適用する医療機器及び体外診断用医薬品の範囲）
> 第37条の20
> ・製造販売承認品目
> （製造管理又は品質管理の方法の基準を適用する指定高度管理医療機器の範囲）
> 第38条
> ・製造販売認証品目
> ○医療機器及び体外診断用医薬品の製造管理及び品質管理の基準に関する省令第六条第一項の規定に基づき製造管理又は品質管理に注意を要するものとして厚生労働大臣が指定する一般医療機器（平成26年8月6日厚生労働省告示第316号）

2. QMS省令の要求事項

QMS省令の構成は，表5-16のとおりである。第2章がISO 13485：2003に準拠した品質マネジメントシステム要求事項を示し，第3章に追加的要求事項として旧法におけるGQP基準に相当する要求事項，第4章に生物由来医療機器などの上乗せ要求事項，第5章に放射性体外診断用医薬品の上乗せ要求事項が規定されている。以下，順にQMS省令のポイントについて解説する。

第1章 総則
趣旨，定義および適用の範囲

第1章「総則」（第1～3条）には，QMS省令の趣旨，定義および適用の範囲が規定されている。第2条「定義」では，ISO 13485：2003の用語と異なるものがあるが，すでにISO 13485の認証を受けている施設では，QMS省令の用語との対比について明確に説明ができるように文書化しておくことでよい。第3条「適用の範囲」では，製品の製造管理および品質管理を行うために業態ごとに係る要求章が示されている（表5-17）。

表5-16 QMS省令の構成

```
第1章　総則（第1条～第3条）
第2章　医療機器等の製造管理および品質管理に係る基本的要求事項
    第1節　通則（第4条）
    第2節　品質管理監督システム（第5条～第9条）
    第3節　管理監督者の責任（第10条～第20条）
    第4節　資源の管理監督（第21条～第25条）
    第5節　製品実現（第26条～第53条の2）
    第6節　測定，分析及び改善（第54条～第64条）
第3章　医療機器等の製造管理および品質管理に係る追加的要求事項（第66条～第72条の3）
第4章　生物由来医療機器等の製造管理及び品質管理（第73条～第79条）
第5章　放射性体外診断用医薬品の製造管理及び品質管理（第80条～第81条）
第5章の2　再製造単回使用医療機器の製造管理及び品質管理（第81条の2～第81条の2の6）
第6章　医療機器等の製造業者等への準用等（第82条～第84条）
附則（施行期日，経過措置）
```

表5-17 業態ごとに係る要求章

製造販売業者等	第2章および第3章
製造販売業者（生物由来医療機器）	第2章および第3章，第4章
製造販売業者（放射性体外診断用医薬品）	第2章および第3章，第5章
製造販売業者（再製造単回使用医療機器）	第2章，第3章および第5章の2
限定一般医療機器に係る製品，限定第三種医療機器販売業者（限定一般医療機器*のみを製造販売する製造販売業者）	一部の条項〔QMS省令施行課長通知〕を適用しない

＊：一般医療機器のうち製造管理および品質管理に注意を要するものとして厚生労働大臣が指定する医療機器（平成26年8月6日厚生労働省告示第316号）以外の医療機器

第2章 医療機器等の製造管理及び品質管理に係る基本的要求事項
第1節　通則（第4条）
適用

　第2章第5節（製品実現）のいずれかの規定を適用することができない場合の対応が規定されている。具体的には，設置管理医療機器，滅菌医療機器，附帯サービスに関する医療機器を製造していない場合に，当該要求条項を除外できる。その場合には，QMS基準書に適用しない条項と適用しない理由を記載することが規定されている。

第2節　品質管理監督システム（第5〜9条）
品質管理監督システムの文書化

　製造販売業者等は，第2章の規定に従ってQMSを確立，文書化し，実施するとともにその実効性を維持しなければならない。文書化すべき事項として表5-18に示す文書および記録が規定されている（第6条）。

製品標準書

　製品ごとに，その仕様およびQMSに関する要求事項を規定し，これらの内容を明確にした「製品標準書」を作成する。製品標準書の記載内容（表5-19）は，QMS省令施行課長通知の「第6 逐条解説の11．第6条（品質管理監督システムの文書化）関係」に，第2章に規定する文書（25種）と手順書（23種）（表5-20）は，同通知の「第6 逐条解説の14．第8条（品質管理監督文書の管理）関係」にて示されている。当該文書の廃止の日からの保管期限はQMS省令第3章の第67条に規定されている。

記録の管理

　また，第2章に定める記録（39種）は，QMS省令施行課長通知の「第6 逐条解説の15．第9条（記録の管理）関係の（2）」にて示されている。記録の保管期限は，QMS省令第3章の第68条に規定されている。

> **根拠法令，通知等**
> ○薬事法等の一部を改正する法律の施行に伴う医療機器及び体外診断用医薬品の製造管理及び品質管理の基準に関する省令の改正について（平成26年8月27日薬食監麻発0827第4号）【QMS省令施行課長通知】
> ○医療機器及び体外診断用医薬品の製造管理及び品質管理の基準に関する省令の一部改正について（令和3年3月26日薬生監麻発0326第4号）

表5-18　QMSに係る文書化すべき事項

1. 品質方針および品質目標
2. QMSの基準
3. 各施設における工程について，実効性のある計画的な実施および管理がなされるようにするために必要な事項
4. QMS省令第2章に規定する手順および記録
5. そのほか，薬事に関する法令の規定により文書化することが求められる事項

表5-19 製品標準書の記載事項

「製品標準書」とは，個々の医療機器または当該類似製品グループごとに，設計開発，製造等に関する文書自体を綴ったものまたはこれらの文書の所在を綴ったものをいうこと。これらの文書は，製造販売業者等から登録製造所に係る製造業者との委託および取り決め内容に応じて，製造販売業者等および登録製造所に係る製造業者において分離して管理される場合もあること。
　記載すべき要求事項とは次に掲げる事項が含まれうるものであること。
1) 当該製品または当該類似製品グループに係る一般的名称及び販売名または類似製品グループ
2) 当該製品または当該類似製品グループに係る仕様
3) 当該製品または当該類似製品グループに係る製造，保管，取扱いおよび
4) 当該製品または当該類似製品グループに係る測定および監視に係る手順
5) 設置に係る要求事項
6) 当該医療機器等または当該類似製品グループの供給に附帯したサービスに係る業務に係る要求事項
　製造，保管，取扱いおよび送達の方法については，製造販売業者等が実施する工程または外部委託する工程等および購買する物品等を適切に管理するために必要な情報が含まれうるものであること。
　附帯サービスを伴わない医療機器においては，製品標準書や製品標準書の作成管理のための手順書等に附帯サービスが除外されることおよびその理由を明記すること。
　海外規制等の求めに応じて，製品または類似製品グループごとに，品質管理監督システムに係る要求事項（第7条の2各号に掲げる事項を含む）を記載した文書が作成されている場合，当該文書を製品標準書またはその一部として利用しても差し支えないこと。
　製品標準書は，第8条の規定に従い，作成の承認者および作成年月日ならびに改訂した場合には改訂の承認者，年月日，内容および理由を記載すること。

第3節　管理監督者の責任（第10～20条）

　QMSを維持・運営するためには，「資源（組織，人員，予算，情報，業務運営基盤ならびに購買物品の供給者等が含まれる）の提供」が不可欠であり，その裁量権を有する管理監督者の関与が必須である。この責任および権限のもとに「顧客重視」を全施設に周知させ，「品質方針」を定め，各部門には「品質目標」を定めさせ，QMSが不備のないもの（完全に整っている状態）であることを確実にするための計画を策定することが規定されている。管理監督者は，全施設において構成員に関する責任および権限が定められ，文書化され周知されているようにする。また，QMSの実施および維持の責任者として管理責任者を任命し，内部情報伝達が行われる仕組みを確立し，確実に行われることを担保する。QMS全体の妥当性および有効性の維持を確認するため「管理監督者照査」を行い，QMSの改善または変更の必要性の評価を行い，所要の措置（資源を含む）をとらなければならない。

第4節　資源の管理監督（第21～25条）

　規制要求事項および製品受領者要求事項に確実に適合させQMSを有効に実施するためには，十分な資源が必要になる。製品の品質に影響を及ぼす業務に従事するすべての者について，関連する教育訓練，技能および経験に基づき，業務に必要な能力を有することを担保すること。能力取得が必要な場合には，教育訓練の実施その他必要な措置をとることが規定されている。製品要求事項への適合の達成に必要な次に掲げる業務運営基盤（各施設の建物，作業室およびこれらに付随する水道その他設備，工程に関わる設備（ソフトウェアを含む），および輸送，情報の伝達など製品の製造を支援するサービス）を明確にし，提供，維持しなければな

第5章　業態ほか　107

表5-20　第2章に規定する文書と手順書

1. QMS省令第2章に規定する文書
 ア．品質方針の表明（第6条第1項第1号）
 イ．品質目標の表明（第6条第1項第1号）
 ウ．品質管理監督システム基準書（第6条第1項）
 エ．手順を規定する文書（第6条第1項第4号）
 オ．薬事に関する法令の規定により文書化することが求められる事項（第6条第1項第5号）
 カ．製品標準書（第6条第2項）
 キ．業務に従事する部門及び構成員の責任及び権限（第15条第1項）
 ク．業務運営基盤の保守に係る要求事項（第24条第2項）
 ケ．構成員の健康状態、清浄の程度等に係る要求事項（第25条第2項）
 コ．作業環境の条件に係る要求事項（第25条第3項）
 サ．汚染された製品等の管理に関する実施要領（第25条第5項）
 シ．製品のリスクマネジメントに係る要求事項（第26条第5項）
 ス．製品要求事項に係る文書（第28条第2項）
 セ．設計開発計画に係る文書（第30条第5項）
 ソ．購買情報が記載された文書（第38条第3項）
 タ．製造及びサービス提供に係る要求事項（第40条第1項）
 チ．製造及びサービス提供に係る作業指図書（第40条第1項）
 ツ．製品の清浄に係る要求事項（第41条）
 テ．設置業務に係る要求事項（第42条第1項）
 ト．附帯サービス業務の実施等に係る作業指図に係る体系（第43条第1項）
 ナ．製品の保持に係る作業指図に係る体系（第52条第1項）
 ニ．使用の期限が限定された製品等の管理に係る作業指図に係る体系（第52条第2項）
 ヌ．製造し直しに係る手順（第60条第9項）
 ネ．製造し直しに係る悪影響（第60条第10項）
 ノ．通知書（第62条第2項）
2. QMS省令第2章に規定する手順書
 ア．品質管理監督文書の管理（第8条第2項）
 イ．記録の管理（第9条第2項）
 ウ．作業環境（第25条第3項）
 エ．製品の設計開発（第30条第1項）
 オ．購買工程（第37条第1項）
 カ．製造及びサービス提供の管理（第40条第1項）
 キ．附帯サービス業務（第43条第1項）
 ク．ソフトウェアの適用のバリデーション（第45条第4項）
 ケ．滅菌工程のバリデーション（第46条第1項）
 コ．製品の識別（第47条第2項）
 サ．返却製品の識別（第47条第3項）
 シ．追跡可能性の確保（第48条第1項）
 ス．製品の保持（第52条第1項）
 セ．使用の期限が限定された製品等の管理（第52条第2項）
 ソ．監視及び測定（第53条第2項）
 タ．製品受領者の意見収集等（第55条第3項）
 チ．内部監査実施計画の策定及び実施等（第56条第6項）
 ツ．不適合製品の処理に係る管理等（第60条第2項）
 テ．データの分析等（第61条第1項）
 ト．通知書の発行及び実施（第62条第2項）
 ナ．不具合等の厚生労働大臣への報告（第62条第6項）
 ニ．是正措置（第63条第2項）
 ヌ．予防措置（第64条第2項）

らない。

　製品要求事項に適合させるために必要な作業環境（温度，湿度および圧力，空気の清浄度，照明，音および振動，作業室の清浄度，水質，当該作業環境下に存在する人の数）を明確にし，管理監督しなければならない。構成員と製品など，または作業環境との接触が製品の品質に悪影響を及ぼすおそれがある工程については，構成員の健康状態，清浄の程度ならびに作業衣などに関する要求事項を明確にし，当該要求事項に関する適切な運用を確立し文書化しなければならない。

第5節　製品実現（第26～53条）

製品実現計画

　製品実現工程〔設計開発工程（第30条～第36条）（5-9「設計開発工程」で詳述する），購買工程（第37条～第39条），製造およびサービス提供（第40条～第51条），製品の保持（第52条），設備および器具の管理（第53条）〕は，QMSのなかでも極めて重要な一連の活動を規定している。製品実現に必要な工程について，QMSに係るその他の工程などに関する要求事項との整合性を確保し「製品実現計画」を策定するとともに，確立しなければならない。「製品実現計画」の策定にあたっては，当該製品の品質目標および製品要求事項，固有の工程，当該工程に関する文書策定および資源の確保の必要性などを明確にしなければならない。また，製品実現に関するすべての工程における製品のリスクマネジメントに関する要求事項を明確にし，適切な運用を確立し文書化しなければならない（第26条）。

製品要求事項

　製品受領者（当該製品の市場出荷後に当該製品を取り扱うすべての者で，例えばエンドユーザーである医療従事者，販売業者，患者などが該当）が明示してはいないものの，法令の規定などを含む当該製品の製品受領者要求事項を明確にし（第27条），製品の供給に関与するにあたって，あらかじめ製品要求事項の照査を実施しなければならない（第28条）。

製品受領者との間の情報等の交換

　また，製品受領者との間の相互の情報または意見の交換のための実効性のある方法を明確にして実施しなければならない（第29条）。

購買工程

　購買物品（構成部品等，製造用物質，設備，器具，工程の外部委託ならびにサービスなど）が「購買物品要求事項」に適合するようにするために，購買物品の供給者を評価・選定（判定基準設定要）し，購買物品の供給者ならびに購買物品に適用される管理の方法および程度を含めた手順を確立しなければならない（第37条）。かつ，「購買情報」として，購買物品の供給者の事業所における手順，工程ならびに設備および器具に関する要求事項等を明確にし（第38条），購買物品要求事項に適合している状態を確保するため，試験検査その他の検証に必要な業務を定め実施しなければならない（第39条）。

製造およびサービス提供の管理

　製品の製造およびサービスの提供について計画を策定し，製品の特性を記述した情報が利用できる手順書・要求事項を記載した文書（製品標準書）・作業指図書を使用し，当該製造に見

合う設備および器具が使用できる等の決められた管理条件の下で実施しなければならない（第40条）。

製造工程のバリデーション

製品の製造およびサービスの提供に関する工程について，それ以降の監視または測定では当該工程の結果たる工程出力情報を検証することができない場合においては，当該工程についてバリデーションを行わなければならない（第45条）。

識別

製品実現に関するすべての工程において，適切な手段により製品を識別しなければならない（第47条）。監視および測定に関する要求事項に照らして製品の状態を識別しなければならない。試験検査に合格した製品のみが出荷され，使用もしくは操作され，または設置されるようにするために，製品の状態を，製品の製造，保管，設置および附帯サービス業務に関するすべての工程において識別しこれを維持しなければならない（第50条）。

製品の清浄，滅菌

当該製品が，当該製造販売業者等が清浄を行った後に，滅菌または使用もしくは操作がなされるもの，未滅菌のまま供給しその後清浄化の工程を経て滅菌または使用もしくは操作がなされるもの，未滅菌で使用または操作がなされるものとして供給するものであって，使用または操作中の清浄が重要であるものかによって，当該製品の清浄に関する要求事項を明確にし，適切な運用を確立しなければならない（第41条）。

滅菌製品を取り扱う製造販売業者等は，各滅菌ロットについてその滅菌工程の工程指標値を記録しなければならない（第44条）。また，滅菌工程のバリデーションに関する手順を確立し，これを文書化しなければならない（第46条）。

整備および器具の管理

製品の製品要求事項への適合性の実証に必要な監視および測定ならびに当該監視および測定のための設備および器具を明確にしなければならない。必要な場合においては，監視および測定のための設備および器具を，あらかじめ定めた間隔，または使用の前に計量の標準（原器）まで追跡することが可能な方法により校正または検証がなされている必要がある（第53条）。

第6節　測定，分析及び改善（第54～64条）

測定，分析および改善

ここでは，製品の適合性の実証およびQMSへの適合性を確保し，実効性を維持する業務に必要な監視，測定，分析および改善に関する工程について，計画を策定，実施しなければならないと規定しており（第54条），QMSに不備がないことを維持するための重要な活動に位置付けられる。

製品受領者の意見

QMSの実施状況の測定の一環として，すべての施設が製品受領者要求事項に適合しているかどうかの情報の入手および活用に関する方法を明確にして情報を監視しなければならない。「製品受領者の意見」には，製品を受領する製造業者や医療提供者などからの苦情などのほか，

製品受領者に対して行った調査，製品受領者要求事項，規制当局からの指摘，サービス提供に関するデータが含まれる（第55条）。

> **根拠法令，通知等**
> ○薬事法等の一部を改正する法律の施行に伴う医療機器及び体外診断用医薬品の製造管理及び品質管理の基準に関する省令の改正について（平成26年8月27日薬食監麻発0827第4号）【QMS省令施行課長通知】

内部監査

QMSが，製品実現計画およびQMSに関する要求事項に適合し，効果的に実施されかつ維持されているかどうかを明確にするために，あらかじめ定めた間隔で内部監査を実施しなければならない。これには，内部監査の対象となる工程および領域の状態および重要性ならびに従前の監査の結果を考慮して，内部監査実施計画を策定しなければならない。また，内部監査の判定基準，範囲，頻度および方法を定めなければならない（第56条）。

内部監査された領域に責任を有する責任者に，発見された不適合および当該不適合の原因を除去するための措置を遅滞なくとらせるとともに，当該措置の検証を行わせ，その結果を報告させなければならない（第56条）。

工程の監視および測定

QMSに関するそれぞれの工程を適切な方法で監視するとともに，測定が可能な場合にはあわせて測定をしなければならない。監視の方法について，工程が第3節（第14条第1項）のQMSの計画に定めた結果を得ることができることを実証できるものとしなければならない（第57条）。

製品の監視および測定

製品が製品要求事項に適合していることを検証するために，製品の特性を監視，測定し，出荷可否決定基準を満たしている製品だけが出荷されるようにしなければならない。監視および測定は，当該製品に関する製品実現計画および手順書に従って，製品実現に関する工程の適切な段階において実施しなければならない（第58条）。

不適合製品の管理

「不適合製品」（例えば試験検査の結果や製造条件の逸脱により，製品標準書において定められている規格などに対して不適合であると判定された製品，製造用物質および構成部品などをいう）について，意図に反した使用もしくは操作または出荷を防ぐことを確実にするため識別し管理し，不適合製品を処理しなければならない（第60条）。

製造し直す場合には，それによって生じるあらゆる影響を明確にし文書化しなければならない。また，修正後の製品の製品要求事項への適合を実証するために再検証を行う。製品受領者への製品の送達後または当該製品について使用もしくは操作がなされた後に不適合製品を発見した場合には，その不適合による影響または起こりうる影響に対して適切な措置をとる（第60条）。

データ分析

QMSが適切かつ実効性のあるものと実証するため，およびそのQMSの改善を図る措置がとられた場合に当該措置の改善に関する実効性を評価するために，適切なデータ（監視および測定の結果から得られたデータならびにそれ以外の関連情報源からのデータを含む）を明確にし，収集，分析する。データの分析により製品受領者の意見，製品要求事項への適合性，工程および製品の特性および傾向（予防措置を行う端緒となるものを含む），購買物品の供給者などに関する情報を得なければならない（第61条）。

改善

品質方針，品質目標，監査の結果，データの分析，是正措置，予防措置および管理監督者照査を通じて，継続的にQMSの妥当性および実効性を維持するために変更が必要な事項をすべて明らかにするとともに当該変更を実施する（第62条）。

通知書（QMS省令第2条第25項：製品の受渡し時に提供した情報を補足し，または製品の使用，改造，返却および破棄においてとるべき措置について助言するために，製品の受渡しの後に発行される文書）の発行および実施に関する手順を確立し，これを文書化するとともに，当該手順を随時実施できるものとしなければならない。また，実施した製品受領者の苦情に関するすべての調査について記録を作成しなければならない（第62条）。

是正措置

発見された不適合による影響に応じて，当該不適合の再発を防ぐために適切な是正措置をとらなければならない。また，必要な要求事項を定めた是正措置に関する手順を確立し，文書化しなければならない（第63条）。

予防措置

起こりうる問題の影響に照らし，当該問題の発生を防止するために適切な予防措置を明確にし，とらなければならない。また，必要な要求事項を定めた予防措置に関する手順を確立し，これを文書化しなければならない（第64条）。

第3章　医療機器等の製造管理及び品質管理に係る追加的要求事項

登録製造所の品質管理監督システム（第65条）

製造販売業者等は，工程を外部委託する事業所または購買物品の供給者の事業所が「登録製造所」である場合には，「登録製造所に係る製造業者等」が適切なQMSに基づき製造管理および品質管理を行っていることについて必要な確認を行わなければならない。

品質管理監督システムに係る追加的要求事項（第66条）

製造販売業者等は，第2章の規定のほか第3章の規定に基づき，QMSを確立，文書化し実施するとともにその実効性を維持しなければならない。工程については，第2章の規定のほか，第3章から第5章の2の規定に基づき管理監督し，QMSに関する文書については第2章の第6条第1項各号に掲げる事項のほか，第3章から第5章の2に規定する手順および記録について記載しなければならない。

品質管理監督文書の保管期限（第67条）

製造販売業者等が「品質管理監督文書」またはその写しを保管する期間は，当該品質管理監督文書の廃止の日から**表5-21**に掲げる期間（教育訓練に係るものは5年間）とする。OMS省令第3章に定める文書には，**表5-22**に掲げるものが含まれる。

記録の保管期限（第68条）

第2章の第9条第1項または第3章に規定する記録を，作成の日から**表5-23**に掲げる期間（教育訓練に関するものは5年間）保管しなければならない。第3章に規定する記録には，**表5-24**に掲げるものが含まれる。

不具合等報告（第69条）

製造販売業者等は，すべての施設および関連する登録製造所に，当該施設および関連する登録製造所が製品に関して医薬品医療機器法施行規則第228条の20第2項各号（不具合等報告）に掲げる事項を知った場合に当該事項を当該製造販売業者等に通知させるための手順を確立させ，かつ当該手順を文書化させなければならない。

製造販売後安全管理基準との関係（第70条）

製造販売業者等は，製品の製造販売後安全管理に関する業務を行う場合はQMS省令の規定のほか，GVP省令の規定に従わなければならない。

医療機器等総括製造販売責任者の業務（第71条）

製造販売業者は，**表5-25**に掲げる業務を総括製造販売責任者に行わせなければならない。

国内品質業務運営責任者（第72条）

製造販売業者は，QMS省令の規定に従って行う国内の製品の品質管理業務の責任者として，

表5-21 品質管理監督文書またはその写しを保管する期間

特定保守管理医療機器に係る製品	15年間（当該製品の有効期間または使用の期限（以下単に「有効期間」という）に1年を加算した期間が15年より長い場合にあっては，当該有効期間に1年を加算した期間）
特定保守管理医療機器以外の医療機器等に係る製品	5年間（当該製品の有効期間に1年を加算した期間が5年より長い場合にあっては，当該有効期間に1年を加算した期間）

表5-22 OMS省令第3章に定める文書

1. QMSを文書化したもの（第66条）
2. すべての施設および関連する登録製造所に対し，当該施設などが製品に関して施行規則第228条の20第2項各号（不具合等報告）に掲げる事項を知った場合に当該事項を当該製造販売業者等に通知させるための手順（第69条）
3. 国内品質業務運営責任者の業務を規定した文書（第72条第2項）
4. 製造販売業者と関係する施設および登録製造所との間の取り決め（第72条の2）
5. 修理業者からの通知の処理に関する手順（第72条の2第2項第1号）
6. 販売業者または貸与業者における品質の確保に関する手順（第72条の2第2項第2号）
7. 中古品の販売業者または貸与業者からの通知の処理に関する手順（第72条の2第2項第3号）

表5-23 記録を保管する期間

特定保守管理医療機器に係る製品	15年間（当該製品の有効期間に1年を加算した期間が15年より長い場合にあっては，当該有効期間に1年を加算した期間）
特定保守管理医療機器以外の医療機器等に係る製品	5年間（当該製品の有効期間に1年を加算した期間が5年より長い場合にあっては，当該有効期間に1年を加算した期間）

表5-24 第3章に規定する記録

1. 製造販売業者，管理監督者その他の当該業務に関して責任を有する者に対し必要な意見を述べた文書の写し（第71条第1項第2号）
2. 国内に流通させる製品について，市場への出荷の決定をロットごとに行った結果および出荷先など市場への出荷の記録（第72条第2項第3号）
3. 国内に流通する製品について，製造方法などの変更により製品の品質に重大な影響を与えるおそれがある場合に管理責任者および医療機器等総括製造販売責任者に報告した文書（第72条第2項第4号）
4. 国内に流通する製品について，当該製品の品質等に関する情報（品質不良またはそのおそれに関する情報を含む。）を得たときに，管理責任者および医療機器等総括製造販売責任者に対して報告した記録（第72条第2項第5号）
5. 国内に流通する製品の回収の内容を記載した記録および当該記録を管理責任者および医療機器等総括製造販売責任者に対して報告した記録（第72条第2項第6号ロ）
6. 第72条第2項第4号から第6号に掲げるもののほか，国内の品質管理業務の遂行のために必要があると認めたときに管理責任者および医療機器等総括製造販売責任者に報告した文書（第72条第2項第7号）
7. 国内の品質管理業務の実施に当たり，必要に応じ関係の登録製造所に関する製造業者または医療機器等の外国製造業者，販売業者，薬局開設者，病院および診療所の開設者その他関係する者に対し実施した連絡または指示の文書（第72条第2項第8号）
8. GVP省令第2条第2項に規定する安全確保措置に関する情報を，安全管理統括部門（安全確保業務の統括に係る部門）へ報告した文書（第72条第2項第9号）
9. 国内品質業務運営責任者があらかじめ指定した者が行った市場への出荷の可否の決定に関する記録および当該記録を国内品質業務運営責任者に対して報告した文書（第72条第4項）

表5-25 医療機器等総括製造販売責任者の業務

1. 製品の出荷の決定その他の製造管理および品質管理に係る業務を統括し，これに責任を負う。
2. 業務を公正かつ適正に行うために必要があると認めるときは，製造販売業者，管理監督者その他の当該業務に関して責任を有する者に対し文書により必要な意見を述べ，その写しを5年間保管する。
3. 国内品質業務運営責任者を監督する。
4. 管理責任者および国内品質業務運営責任者の意見を尊重する。
5. 製造管理または品質管理に関係する部門と製造販売後安全管理基準に規定する安全管理統括部門との密接な連携を図らせる。

国内に所在する施設に表5-26に掲げる要件を満たす「国内品質業務運営責任者」を置かなければならない。製造販売業者は，QMS省令の規定に基づき作成された手順書などに基づき，表5-27に掲げる業務を国内品質業務運営責任者に行わせなければならない。

　国内品質業務運営責任者は，国内に流通する製品について，当該製品の品質に影響を与える

表5-26　国内品質業務運営責任者の要件

1. 製造販売業者における品質保証部門の責任者であること。
2. 品質管理業務その他これに類する業務に3年以上従事した者であること。
3. 国内の品質管理業務を適正かつ円滑に遂行しうる能力を有する者であること。
4. 医療機器等の販売に係る部門に属する者でないこと，その他国内の品質管理業務の適正かつ円滑な遂行に支障を及ぼすおそれがない者であること。

表5-27　国内品質業務運営責任者の業務

1. 国内の品質管理業務を統括する。
2. 国内の品質管理業務が適正かつ円滑に行われていることを確認する。
3. 国内に流通させる製品について，市場への出荷の決定をロットごとに行い，その結果および出荷先等市場への出荷の記録を作成する。

おそれのある製造方法，試験検査方法等の変更がなされる場合の対応，当該製品の品質等に関する情報の国内外からの収集とその対応，国内に流通する製品の回収を行う場合の対応，国内の品質管理業務の遂行のために必要があると認めるときは，管理責任者および総括製造販売責任者に対して文書により報告する。

その他の遵守事項（第72条の2）

製造販売業者は，品質情報の収集が妨げられることのないよう「製品受領者の意見」（第55条）の規定により行う業務との関係も踏まえ必要な体制を整備するとともに，関係する施設および登録製造所との間で必要かつ十分な事項について取り決めなければならない。また，表5-28に掲げる事項に関する手順を確立し，これを文書化しなければならない。

選任外国製造医療機器等製造販売業者等の業務（第72条の3）

外国製造医療機器等特例承認取得者は，選任外国製造医療機器等製造販売業者に，QMS省令の規定により行う業務のうち，国内の業務に関するものを行わせなければならない。

第4章および第5章

生物由来医療機器，放射性体外診断用医薬品および再製造単回使用医療機器を取り扱う製造販売業者等は限定されるので，本書では割愛する。

第6章　医療機器等の製造業者等への準用等

輸出用の医療機器等の製造業者の製造管理及び品質管理（第82条）

輸出用の医療機器等に関する製品の製造業者における製品の製造管理および品質管理については，第2章および第3章（一部除く）の規定を準用する。ただし，読み替え規定あり。

登録製造所に係る製造業者等の製造管理及び品質管理（第83条）

製造販売業者等もしくは他の登録製造所により工程の外部委託を受けた事業所または製造販売業者等もしくは他の登録製造所に対して購買物品の供給を行う事業所が登録製造所である場

表5-28 製造販売業者が手順を確立し文書化すべき事項

1. 医療機器の修理業者からの通知の処理
2. 医療機器の販売業者または貸与業者における品質の確保
3. 中古品の販売業者または貸与業者からの通知の処理

合にあっては,当該登録製造所に係る製造業者等における製品の製造管理および品質管理については,第2章から第5章の2まで(一部除く)の規定を準用する。ただし,当該製品について当該登録製造所が行う工程に照らし,そのQMSに適用することが適当でないと認められる規定は,そのQMSに適用しないことができる。この場合において,当該登録製造所に関する製造業者等は,当該製品に関するQMS基準書にその旨を記載しなければならない。

製造販売業者等による確認(第84条)

　製造販売業者等は,第83条において準用する第65条(登録製造所の品質管理監督システム)の規定により登録製造所に係る製造業者等が必要な確認を行う場合にあっては,当該確認が適切に行われていることについて必要な確認を行わなければならない。

5-9 設計開発工程

1. 設計開発工程と関連工程

　QMS省令の設計開発工程は,要求事項を製品の特性または仕様に変換する一連の工程であり,研究開発(R&D)および技術開発は含まれない。QMS省令の設計開発工程は,第2章第5節「製品実現」のうち設計開発計画(第30条)から設計開発の変更の管理(第36条)が要求事項となっている。しかし,設計開発工程の要求事項の理解をより深めるためには,「設計開発」工程と「製品実現」ならびに「測定,分析及び改善」(第2章第6節)などのつながりを知る必要がある。

　QMS省令上の「設計開発」工程と関連要求事項の関係を図5-8に示す。

2. 設計開発工程の要求事項

　医療機器の設計開発工程は,製品の品質,有効性および安全性の確保のために重要な工程であるとともに,製造販売承認(認証)申請に記載する大半のデータが得られる。そのため,設計開発の段階,各段階における照査,検証,バリデーション,設計移管業務,設計開発に関する部門や構成員の責任および権限を明確にした「設計開発計画」を策定し,設計開発を管理しなければならないとされている。各段階における活動内容を図5-9に示す。

3. QMS省令各条項要求事項

設計開発計画(第30条)

　医療機器の設計開発のためには文書化した手順(手順書)の作成と表5-29の事項を明確に

図5-8 設計開発工程と関連要求事項

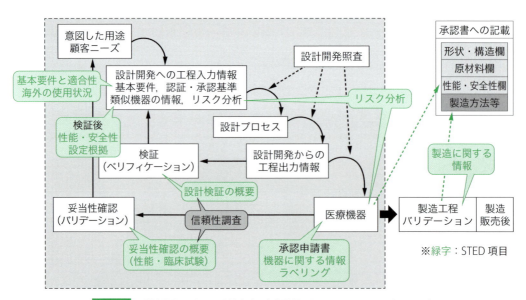

図5-9 設計開発工程と活動内容（設計管理のWaterfallモデルより）

した設計開発計画書を作成し，進捗を含めた管理をしなければならない．設計開発計画においては，開発期間はどの程度とれるか，自社の技術力で可能か，アウトソースしなければならな

表5-29 設計開発計画書の作成が求められる事項

1. 設計開発の段階
2. 設計開発の各段階における適切な照査
3. 設計開発の各段階における適切な検証，バリデーションおよび設計移管業務＊
4. 設計開発に係る部門または構成員の責任および権限
5. 設計開発において工程入力情報から工程出力情報への追跡可能性を確保する方法
6. 設計開発に必要な資源

＊：設計開発からの工程出力情報について，あらかじめ実際の製造に見合うものであるかどうかについて検証したうえで製造工程に関する仕様（図面，回路図および部品表など），製造設備の必要性，要員の必要技能などを明確にする業務。

表5-30 設計開発への工程入力情報

QMS省令上の工程入力情報
1. 意図した用途に応じた機能，性能，使用性および安全性に係る製品要求事項
2. 法令の規定等に基づく要求事項
3. 第26条第3項に規定するリスクマネジメントに関する工程出力情報たる要求事項
4. 従前の類似した設計開発から得られた情報であって，当該設計開発への工程入力情報として適用可能な要求事項
5. その他，設計開発に必須の要求事項

工程入力情報には次の要求事項が含まれる（上記5．関連）
1. 使用者および患者に関する要求事項
2. ヒューマンファクタ/使いやすさに関する要求事項
3. 環境に関する両立性の要求事項
4. 顧客/使用者の教育・訓練に関する要求事項
5. 滅菌に関する要求事項
6. 耐用期間に関する要求事項
7. 包装およびラベリング（誤用防止の考慮含む）
8. 経済および費用面（保険収載含む）
9. 附帯サービスの必要性

いかなど多くの事項を検討し計画を立てる。また，設計開発に携わる各者間の組織上および技術上の相互関係を明確化するとともに，定期的にミーティングなどをもち，全体の整合性のチェックや進捗の遅れなどを調整しながら管理監督することが求められる。当初の設計開発計画はしばしば変更が生じることがあるので，設計開発計画書は進行に応じて適切に更新しなければならない。

設計開発への工程入力情報（第31条）

工程入力情報は，製品要求事項の仕様または用途，構成，構造，組み込まれる要素およびそのほかの設計特性に関する仕様の記述である。製品要求事項は，製品実現計画（第26条）および製品要求事項の明確化（第27条）にて明確にすることが求められている。QMS省令における工程入力情報を表5-30に示す。

表5-31 設計開発からの工程出力情報

1. 製品等に係る仕様（仕様書，図面等）
2. 出荷の可否判定に係る基準
3. 購買，製造およびサービス提供における手順および作業環境に係る要求事項
4. 包装および表示に係る要求事項
5. 識別に係る要求事
6. 追跡可能性に係る要求事項
7. 附帯サービスに係る要求事項
8. 添付する文書に係る要求事項

表5-32 設計開発照査に含まれる事項

1. 当該設計開発への工程入力情報は十分なものであるか？
2. 当該設計開発に係る製品の製造を実現するうえで各施設の工程の能力は十分なものであるか？
3. 安全性に関する考慮はなされているか？

該当する場合，次の事項についても検討するとよい。

1. 設計とその対応能力（製造等）に両立性はあるか？
2. 設計を行うための計画が，技術的に実現可能か（購買，製造，据付け，試験および検査など）？
3. 設計は，医療上の用途は達成できるか？

設計開発からの工程出力情報（第32条）

　工程出力情報は，購買（第37〜39条），製造（第40条など），設置業務（第42条），附帯サービス業務（第43条），製品の監視及び測定（第58条）に関する製品要求事項である。これには合否判定基準を含めるか参照する必要がある。工程出力情報は，工程入力情報と照合し検証するのに適した形式にしなければならない。工程出力情報には，表5-31のものが含まれる。

設計開発照査（第33条）

　設計開発照査は，設計開発される製品の成熟度（新医療機器か改良医療機器か後発医療機器かなど）および複雑さによって，どの段階でいつ何回行うかが決まる。製造販売業者はこれらを考慮し，設計開発計画書にて計画を明確化する必要がある。設計開発照査は，表5-32の事項が含まれうるものである。

　設計開発照査は，設計開発のどの段階（構想設計，基本設計，詳細設計／検証，バリデーション／試作機完成など）で実施するのかによって，検討事項が異なる。設計開発照査参加者には，当該設計開発段階に関連する部門の代表者および当該設計開発の専門家を参加させなければならない。設計開発に問題がある場合は，当該問題の内容を識別できるようにするとともに必要な措置を提案する。

設計開発の検証（第34条）

　設計開発の検証は，設計開発からの工程出力情報が当該設計開発への工程入力情報に適合し

表5-33 設計開発の検証に含める事項

1. 文書（仕様，図面，報告書など）のレビュー
2. 試験（ベンチテスト，実験室での分析など）
3. 別法による計算
4. 実績のある設計との比較
5. シミュレーション
6. 試作品の試験／評価

ているかどうかを確認するために行う。検証には，表5-33の事項を含めるとよい。製品の安全性と性能は，実際に使用されうる状況を最大限代表している条件のもとで，検証を行うべきである。

設計開発バリデーション（第35条）

　設計開発された製品を，あらかじめ規定された機能もしくは性能または意図した用途に関する要求事項に適合するものとするため，当該設計開発のバリデーションを実施しなければならない。「意図した用途に関する要求事項に適合」とは，意図した効果または性能を有するかを確認することで，医療の場で使えるかどうかの検証である。

　設計開発バリデーションは，設計開発の検証に合格した後，実際の製造工程または実際の製造工程に相当する工程で製造された最終製品またはその形態となっている試作品に対して，実際の使用条件またはシミュレートされた使用条件のもとで行う。設計開発バリデーション参加者は，当該設計開発段階に関連する部門の代表者および当該設計開発に関わる専門家を参加させなければならない。専門家として当該医療機器の使用者などの医療関係者の参加が望ましい。あらかじめ設計開発バリデーションを完了していなければ，原則として当該製品の出荷を行ってはならないこととされている。

　設計開発バリデーションには，当該製品に関する科学的資料の分析，適切な関連学術文献の分析，生物学的安全性資料などの前臨床評価，すでに市販されている類似かつ妥当な製品などをもとにした臨床評価および実際の検査環境における体外診断用医薬品の性能評価なども含まれうる。臨床試験および使用成績調査が課せられている医療機器等については，当該臨床試験および使用成績調査に関する資料の収集および作成を，継続的な設計開発バリデーションの一部としてフィードバックすることを要求している。臨床試験および使用成績評価が課せられている医療機器以外について，臨床試験および使用成績評価に関する資料の収集および作成を継続的な設計開発バリデーションの一部としてフィードバックすることを妨げるものではない。

設計開発の変更の管理（第36条）

　医療機器の設計開発は，さまざまな理由により変更または修正される可能性がある。その変更は設計開発中または終了した後（出荷後の使用を含む）に発生する可能性がある。変更による特定健康被害の拡大防止，また変更によって新たな悪影響を及ぼさないよう管理が求められ

ている。設計開発の変更としては，製品受領者によって要求された変更，設計開発照査，設計開発検証または設計開発バリデーションによって必要とされた変更，是正措置または予防措置によって必要とされた変更が含まれうる。

変更に際しては，他の製品特性に対して意図しない悪影響を及ぼさないことを考慮する。設計開発の変更を実施するにあたり，あらかじめ照査，検証およびバリデーションを適切に行い，承認しなければならない。変更の内容によっては，リスクマネジメントの実施が必要となる場合もある。設計開発の変更の照査の範囲の検討にあたっては，当該変更が構成部品等およびすでに出荷された製品に及ぼす影響の評価を含めなければならない。

5-10 品質管理監督システムの適合性調査（QMS適合性調査）

QMSに対する適合性調査では，従前の製造所ごとの調査を改め，製品の製造工程全般を一つの単位として調査し，当該製品についての製造管理および品質管理の方法の基準（QMS省令）への適合性を確認する。QMS適合性調査範囲の概念を図5-10に示す。

製品の製造工程全般を一つの単位として調査することになり，QMSの責任主体が製造販売業者となったが，製造販売業者と各登録製造所の関係は事業者ごとに異なるので，QMS体制については各社に応じた管理体制の確立が必要である。

① QMS適合性調査の要領

製造販売承認（認証）申請および5年ごとに行われるQMS適合性調査は，製造販売業者が主体となることから，その調査要領通知「QMS調査要領の制定について」がQMS適合性調査権者（PMDA，登録認証機関，都道府県）宛に発出された。製造販売業者等にとってもど

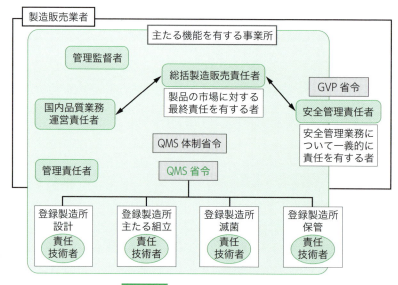

図5-10 QMS適合性調査範囲

のように調査が行われるかを理解するために必見の通知である。内容的には，QMS適合性調査の分類，QMS適合性調査の基本的留意事項，QMS適合性調査の方法，QMS適合性調査の具体的手順，立入検査などの具体的手順が含まれている。

> 根拠法令，通知等
> ○QMS調査要領について（令和3年3月26日薬生監麻発0326第12号）【調査要領通知】

また，医薬品医療機器法においてQMS適合性調査は品目ごとではなく製品群区分ごとに行われ，同一製品群区分かつ同一の製造所で同一のQMSのもとで製造販売される製品について，基準適合証による合理化が図られた。次の通知には，基準適合証によるQMS適合性調査の合理化，承認などにおけるQMS適合性調査の申請，QMS適合性調査の実施が含まれている。

> 根拠法令，通知等
> ○基準適合証及びQMS適合性調査申請の取扱いについて（令和2年8月31日薬生監麻発0831第1号／薬生機審発0831第16号）【調査申請通知】

② **QMS適合性調査の申請**

QMS適合性調査申請は，当該製品を製造販売する製造販売業者等が，製造販売承認/認証申請（一部変更承認/認証申請）と基本的に同時，または承認/認証権者が指示した時期に行う。

QMSの定期適合性調査は，原則として当初承認/認証を受けた日から5年ごとの期日までに行う。そのため，この期日に更新された基準適合証（後述）が入手できるように申請する。したがって，QMS適合性調査を前倒しで受けることは可能である。

製造販売認証申請は，当該品目が指定管理医療機器であってかつ当該基準に適合している品目が対象となることから，QMS適合性調査申請書の提出先は登録認証機関となる。

③ **QMS適合性調査の方法**

QMS適合性調査の方法は，調査要領通知に，QMS適合性調査の目的，調査対象者の規模，過去の調査実績などを考慮して適切に決定することと記されている。調査要領通知は調査実施者に関する規定であるが，申請者としてもここを理解することによって，QMS適合性調査がスムーズに行える（表5-34）。

④ **調査対象施設の選定**

申請者である製造販売業者は対象施設となるが，登録製造所については，適合性調査申請書に記載された製造所が対象となり，申請者の管理状況や申請品目の品質に及ぼす影響の程度などを踏まえ，調査者（調査を実施する者）が選定する。

表5-34 QMS適合性調査の手順

1. 基本方針等の策定
2. チーム編成
3. 調査計画の策定
4. 事前通知
5. 実地調査
6. 実地で調査を行うことの説明
7. 調査基本事項の確認
8. 調査の実施
9. 講評，指摘事項書の交付
10. 改善計画書及び改善結果報告書の徴収並びに改善内容の確認
11. 調査結果報告書等の作成，写しの交付
12. 調査結果通知等の送付

5-11 製品群省令の制定

1. QMS適合性調査の合理化

①合理化の趣旨

　医療機器のQMSについて，構造，特性などが類似した医療機器等であれば，通常共通のQMSが適用されることから，医療機器等を製品の構造，特性などに応じて製品群に分類し，同じ製品群に属する製品のQMS適合性調査の省略による合理化を図る。厚生労働大臣または登録認証機関は，QMS適合性調査の結果，製造販売承認または認証に関する医療機器等の製造管理および品質管理の方法が基準に適合していると認めるときは，基準適合証を交付する。

> **根拠法令，通知等**
> ○薬事法等の一部を改正する法律等の施行等について（平成26年8月6日薬食発0806第3号）

②製品群省令の制定

　適合性調査の合理化の一環として，医療機器等の構造，機能，製造工程等の特性を踏まえ，医療機器等を製品群（製品群としてまとめられないものは，一般的名称ごと）に区分し，同一の区分（以下，製品群区分という）に属する医療機器等について，一定の条件下で適合性調査を受けることを要しない規定（以下，製品群省令という）が設けられた。

> **根拠法令，通知等**
> ○医薬品，医療機器等の品質，有効性及び安全性の確保等に関する法律第23条の2の5第8項第1号に規定する医療機器又は体外診断用医薬品の区分を定める省令（平成26年8月6日厚生労働省令第95号）【製品群省令】

③製品群省令における品目ごとの調査
　QMS適合性調査を製品群区分ごとではなく品目ごとに行う医療機器として厚生労働大臣が生物由来，細胞医療機器19品目を指定している。

> **根拠法令，通知等**
> ○医薬品，医療機器等の品質，有効性及び安全性の確保等に関する法律第23条の2の5第8項第1号に規定する医療機器又は体外診断用医薬品の区分を定める省令第2条第1項の規定に基づき品目ごとに調査を行うべきものとして厚生労働大臣が指定する医療機器又は体外診断用医薬品（平成26年8月6日厚生労働省告示第317号）

④一般的名称の該当する製品群区分
　特定高度管理医療機器，その他の医療機器（クラスⅠは除く）の一般的名称がどの製品群区分に該当するかが示されている。

> **根拠法令，通知等**
> ○医療機器及び体外診断用医薬品の製品群の該当性について（平成26年9月11日薬食監麻発0911第5号）【製品群該当性通知】

一般的名称が複数の製品群に該当する場合の製品群区分の選択方法が示されている。

> **根拠法令，通知等**
> ○QMS適合性調査申請における複数の製品群区分の選択について（平成26年11月21日薬食監麻発1121第21号）

2. 製品群省令の規定
①製品群省令の構成および考え方
　製品群省令の構成を表5-35に示す。製品群省令は，図5-11に示すようにクラスⅡ～Ⅳの医療機器について「品目調査医療機器等」，「別表第1 クラスⅣの特定高度管理医療機器」，「別表第2 クラスⅢおよびⅡの医療機器」および「一般的名称ごとに調査する区分」への該当製品群区分を規定している。

②製品群区分の細区分・特例
■ 製品群区分の細区分
　製品群省令において，各製品群に分類された医療機器は，その特性に応じて，表5-36に掲げる区分に細分されている。
■ 製品群区分の特例
　各区分に関する有効な基準適合証が交付されている場合は，リスクの高い細区分は，下位の細区分を包含するとされている。つまり，イに関する基準適合証はロ～ニの区分と同一とみな

表5-35 製品群省令の構成

条項	内容	備考
第1条	趣旨	
第2条	製品群区分	分類・区分し，さらに細区分
第3条	製品群区分の特例	細区分の包含関係の整理
別表第1	特定高度管理医療機器の製品群区分	
別表第2	その他の医療機器の製品群区分	

図5-11 製品群省令の考え方

表5-36 製品群区分の細区分

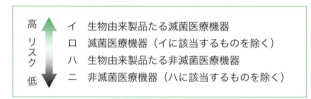

され，ロ～ニの区分のQMS適合性調査は省略可となる。また，ロに関する基準適合証があれば，ニの区分の調査が省略可，ハに関する基準適合証があれば，ニの区分の調査が省略可となる。

　一般的名称が属する製品群においてイからニの種類の医療機器があった場合で，各区分に関する有効な基準適合証が交付されている場合，表5-37に示すように，■に相当する基準適合証が交付されていれば，右欄の●も包含される。

3．製品群への該当性

　現在公示されている医療機器の一般的名称数を表2-7に示す。この一般的名称（クラスIは除く）と製品群との紐付けが，製品群該当性通知にてなされている。

表5-37 製品群区分の特例（有効な基準適合証の特例）

	医療機器	生物由来製品		非生物由来製品	
	細区分	イ 滅菌	ハ 非滅菌	ロ 滅菌	ニ 非滅菌
イ	生物由来製品たる滅菌医療機器	■	●	●	●
ロ	滅菌医療機器（イに該当するものを除く）			■	●
ハ	生物由来製品たる非滅菌医療機器		■		●
ニ	非滅菌医療機器（ハに該当するものを除く）				■

根拠法令，通知等

○医療機器及び体外診断用医薬品の製品群の該当性について（平成26年9月11日薬食監麻発0911第5号）【製品群該当性通知】

第6章

市販後の薬事規制

6-1 広告規制

　医療機器を製造販売するにあたっては，プロモーションや販売促進の一環としてパンフレットなどを用いて広告などを行うことが多いが，この広告についても法的に規制されている。市販前規制として「承認」，「認証」など種々規制されており，広告は承認・認証の内容などが前提となっている。広告規制としては「誇大広告」と「承認前の広告」の禁止である。広告規制は製造販売業者や販売業者のみならず，すべての者が規制の対象になることに留意が必要である。

　規制の基本的な考え方は，専門的な知識をもたない一般人の使用を誤らせるなど保健衛生上の観点にあるが，一般人向けだけではなく医療従事者などの専門家向けの広告も規制の対象になっている。また，広告内容が明示的であるだけでなく，暗示的であっても規制の対象になることにも留意が必要である。

　規制としては，医薬品医療機器法のほか，その内容を補完するものとして「医薬品等適正広告基準」が通知にて示されている。これらの関係を図6-1に示す。

> **根拠法令，通知等**
>
> ○医薬品，医療機器等の品質，有効性及び安全性の確保等に関する法律
> （誇大広告等）
> 第66条
> （承認前の医薬品，医療機器及び再生医療等製品の広告の禁止）
> 第68条
> ○医薬品等適正広告基準について〔昭和55年10月9日薬発第1339号（最終改正 平成29年9月29日薬生発第0929第4号）〕【医薬品等適正広告基準】
> ○医薬品等適正広告基準の解説及び留意事項等について（平成29年9月29日薬生監麻発0929第5号）
> ○「医療機器の広告に関するQ&A」について（平成23年1月27日事務連絡）

　法律で規制する誇大広告について，医薬品等適正広告基準を含めて主な留意事項を以下に示す。

1. 名称関係

　承認等を受けた販売名または一般的名称以外の名称を使用しないこと。なお，型式名，種類名，愛称等の取り扱いは留意事項通知に示されている。

2. 製造方法関係

　実際の製造方法と異なる表現またはその優秀性について事実に反する認識を得させるおそれのある表現はしないこと。

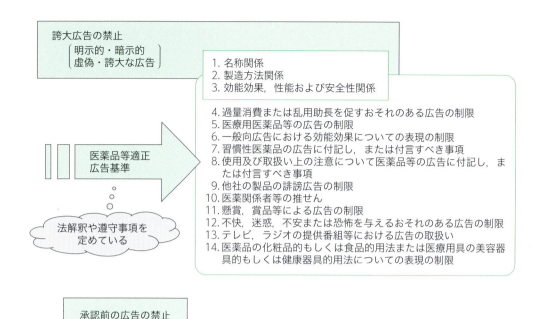

図6-1 医療機器の広告規制に関する法的規制と行政通知の関係

3. 効能効果，性能および安全性関係

①承認を受けた効能効果，性能（以下，性能等）の範囲を超えた表現をしないこと。

②クラスⅠ医療機器（届出品）の性能等の表現は，医学薬学上認められている範囲を超えないこと。

③原材料，形状，構造および原理について虚偽の表現，不正確な表現等を用いて性能等または安全性について事実に反する認識を得させるおそれのある表現はしないこと。

④承認等を受けた使用方法などの範囲，クラスⅠ医療機器は医学薬学上認められている範囲を超えた表現，不正確な表現等を用いて性能等または安全性について事実に反する認識を得させるおそれのある広告はしないこと。

⑤性能等または安全性について，具体的な性能等または安全性を摘示してそれが確実であることを保証するような表現はしないこと（保証的な表現の禁止）。最大級の表現またはこれに類する表現はしないこと（最大級的な表現の禁止）。

⑥性能等の発現程度について，速効性，持続性などについての表現は医学薬学上認められている範囲を超えないこと。

⑦性能等について，本来の性能等と認められない表現をすることにより，その性能等を誤認させるおそれのある広告はしないこと。

4. 医療用医薬品等の広告の制限

医師，歯科医師，はり師など医療関係者自らが使用することを目的として供給される医療機

器で，一般人が使用するおそれのないものを除き，一般人が使用した場合に保健衛生上の危害が発生するおそれのあるものは，医療関係者以外の一般人を対象とする広告は行わないこと。一般人が使用するおそれのないものとは，設置管理医療機器および特定の資格者（例えば，医師，歯科医師，診療放射線技師など）しか扱うことができない医療機器を指す。法律上，医療機器については，販売する者に対する規制はあるが，医薬品と異なり販売先つまり販売する相手に対する制限は設けられていない。したがって，法的には誰にでも販売することは可能であるが，広告規制によって，医療用となる在宅機器を含めて医療用医療機器は一般向けには広告できないので，実質的には積極的な販売はできない。

5. 一般向け広告での効能効果の表現の制限

医師または歯科医師の診断もしくは治療でなければ一般的に治療が期待できない疾患について，医師または歯科医師の診断もしくは治療がなくても治癒できるような表現で，医療関係者以外の一般人を対象とする広告は行わないこと。

6. 他社製品の誹謗広告の制限

品質，性能等，安全性その他について，他社製品を誹謗するような広告を行わないこと〔比較広告の禁止（自社品を除く）〕。

7. 医薬関係者などの推せん

医薬関係者や病院，診療所，その他医療機器の性能等に関し，世人の認識に相当の影響を与える公務所，学校又は学会を含む団体が指定し，公認し，推せんし，指導し，又は選用している等の広告は行わないこと（公衆衛生の維持増進のため公務所又はこれに準ずるものが指定等をしている事実を広告することが必要な場合など特別な場合を除く）。

8. その他，納入実績

医療機器を特定して，納入実績を製造販売業者のホームページやカタログなどで一般の方に周知することはできない。医療機器を特定せず，もしくは結果として特定されるような表現としないで製造販売業者の納入先を記載することは可能である。

> **根拠法令，通知等**
> ○「医療機器の広告に関するQ&A」について（平成23年1月27日事務連絡）

6-2 未承認医療機器の展示と情報提供

1. 未承認医療機器の展示会などへの出展

医療機器の発展に伴い，未承認医療機器の展示の機会が増大したことや未承認医療機器の展示要件の明確化に関する国際的な要請などに対応して，展示会の性格などに応じた展示に関す

るガイドラインが作成され，1989年に当時の厚生省薬務局長により通知が示され，その後適宜改正が行われている。その内容を表6-1に示す。

> **根拠法令，通知等**
> ○未承認医療用具の展示会等への出展について〔平成元年2月13日薬発第127号（最終改正 平成29年6月9日薬生発0609第1号）〕

また，未承認医療機器および未承認体外診断用医薬品の展示が円滑かつ適正に運営されることを目的として，日本医療機器産業連合会（医機連）により厚生労働省の指導のもと自主的に運用基準が定められている。未承認医療機器等の展示は，それに従って行うことになるが，一方で医薬品医療機器法などに抵触することのないように十分に配慮することも必要である。

> **根拠法令，通知等**
> ○医薬品，医療機器等の品質，有効性及び安全性の確保等に関する法律
> （承認前の医薬品，医療機器及び再生医療等製品の広告の禁止）
> 第68条
> ○日本医療機器産業連合会法制委員会適正広告基準の解釈に関わるWG：未承認医療機器等の展示に関するガイドライン細則業界自主運用基準（2019年10月改訂発行版）

2. 未承認医療機器の情報提供

医療機器等に関する情報提供は，広告との切り分けが難しくその取り扱いが難しかったが，2010年6月15日内閣府行政刷新会議規制・制度改革に関する分科会において議論され（表6-2），2010年6月18日に「規制・制度改革に係る対処方針」が閣議決定された。

これら意見を踏まえて，厚生労働省医薬食品局監視指導・麻薬対策課から業界団体に対し，「指針（Q&Aを含む）」作成の依頼を行い，業界検討内容を踏まえ通知された。この通知は，医師等専門家からの求めに応じた「未承認医療機器に関する情報提供の取り扱い」について示されたものであり，企業が積極的に行う情報提供は広告規制との切り分けが難しいこともあり，この通知の対象とはなっていない。

> **根拠法令，通知等**
> ○未承認の医療機器に関する適正な情報提供の指針について（平成24年3月30日薬食監麻発0330第13号）

① 情報提供の基本的考え方

前述の指針では，学術的研究報告は以前より医師等専門家の求めに応じて提供することが認められてきたが，未承認等の医療機器に関する製品の情報提供は，広告・宣伝との切り分けが困難な部分もあるため，企業としては当該製品に関わる情報提供について特段の留意を行っていた。

表6-1 未承認医療機器の展示に関するガイドライン

展示会の種類	Ⅰ 学会展示 関係分野の専門家を対象とし，学術研究の向上，発展を目的とするもの	Ⅱ 科学技術・産業振興を目的とする展示 一般人を対象とし，科学技術または産業の振興を目的とするもの	Ⅲ その他 一般人を対象とし，医療機器のデザイン等（名称，製造方法，効能効果および性能を除く）に関する情報提供を目的とするもの	Ⅳ 海外事業者の日本でのビジネスマッチングを目的とする展示 日本法人がない海外の事業者が，国内の事業者を対象とし，自社の製品を国内において製造販売する事業者等を獲得すること（いわゆるビジネスマッチング）を目的とするもの
主催者・後援者等	関係分野の科学者により構成され，学術研究の向上，発展を図ることを目的とする公的学会等が主催するもの。ただし，特定企業が深く関係するとみられる私的な研究会などはこれに含まれない。 （例）日本学術会議における登録学術研究団体	公的機関の主催または後援するもの。 （例）国，地方公共団体，外国政府，州政府，大使館，特殊法人	次のいずれか ①公的機関の主催または後援するもの （例）国，地方公共団体，外国政府，州政府，大使館，特殊法人 ②公益団体等が主催するもの （例）財団法人，社団法人	
展示責任者	研究発表者または学会*1	展示会主催者		
展示場所	学会研究発表会場または学会が指定した展示会場内（当該学会に併設して開催される医療機器等の展示会場を含む）	主催者が指定した展示会場内		
展示方法	①未承認品であり，販売，授与できない旨を明示する*2。 ②製造方法，効能効果，性能に関する標榜は，精密かつ客観的に行われた実験のデータなど事実に基づいたもの以外行わない*3。 ③関連資料等の配布は原則として行わない。ただし，医師等の求めに応じて研究発表論文別刷等，すでに評価を受けた学術論文を提供することは，この限りでない。	①左記①に同じ。 ②予定される販売名は標榜しない。ただし，輸入品について製造時に医療機器本体に輸入先国の言語で記載されている場合は，この限りでない。 ③左記②に同じ。 ④関連資料等の配布は原則として行わない。ただし，主催者が，特定企業，特定商品に限定せずに作成した科学技術の一般的な解説書等については，この限りでない。	①予定される販売名，製造方法，効能効果および性能に関する標榜を行わない。ただし販売名の標榜に関し輸入品について製造時に医療機器本体に輸入先国の言語で記載されている場合は，この限りでない。 ②関連資料等の配布は原則として行わない。ただし，主催者が，特定企業，特定商品に限定せずに作成した一般的な解説書等については，この限りでない。	①未承認品であり，販売，授与できない旨を明示すること。 ②製造方法，効能効果，性能に関する標榜は，精密かつ客観的に行われた実験のデータ等事実に基づいたもの以外は行わないこと。
展示後の措置	販売，授与せず，廃棄，返送などの適切な措置をとる*4。 ただし，一定の手続きを行ったうえでの治験での使用など承認申請目的への転用，承認取得を近々予定されている場合の倉庫での保管などは，この限りでない。			

*1：未承認医療機器の展示に関する法的責任は，展示主催者および出展者の連帯責任であり，出展者に医薬品医療機器法上の遵守事項の徹底を図るため，出展要請書をすべての出展者に発行すること。具体的には，出展者は展示責任者（または展示受託責任者）に様式1（図6-2）の「出展申請書」を提出し，展示責任者または展示受託責任者から様式2（図6-3）の「出展要請書」2部の交付を受け，出展者は「出展申請書」および「出展要請書」を発行の日より少なくとも1年間良好に保存しておくこと。また，展示責任者（または展示受託責任者）は，様式3（図6-4）の「未承認品展示要請一覧表」を作成し管理すること。なお，輸入品については薬監証明のための出展要請書が必須である。

*2：次のような例示は好ましくないとされている。
　①学術参考品，②薬事申請中，③未承認品，④参考出品

＊3：次の①〜④のデータの趣旨に一致し，広告的表現は避け，学術的表現に限ること。
　①当該学会で発表される研究データ，②海外の薬事関連法規制の申請で評価されたデータ（この場合，国名を明記すること），③第三者の試験機関等（東京都立産業技術研究センター，日本品質保証機構等）により行われた学術的データ（大学等から提供されたデータを含む），④論文審査機関のある学術関係専門誌に論文として掲載された研究データ（この場合，データの出所を明らかにするため，当該雑誌名を明記すること）

＊4：展示後の未承認品は，原則として販売，授与のほかリース，レンタルへの転用も認められない。ただし，展示後の未承認品を治験，試験研究，社員訓練，商品見本等の目的に転用する場合にあっては，当該転用目的からみて使用上支障のないことを確認のうえ，所定の手続きを経て転用することができる。（「治験等の目的で製造（輸入）された医療機器の承認取得後の取扱いについて」（平成元年10月25日薬監第89号）および同日付厚生省薬務局監視指導課監視指導第1係長事務連絡参照）

様式1

出 展 申 請 書

年　月　日

展 示 会 名
展示主催者等の代表者名　　　殿

出展申請者名
代表者名

○○○展示会への出展申請

　下記品目の展示は，学術，科学技術，産業等の振興又は情報の提供に寄与するものと考えられるので，医薬品医療機器等法を遵守し別添資料を添付のうえ申請します。

1．出展品
　　一般的名称：＿＿＿＿＿＿＿＿＿＿＿＿＿＿＿＿＿＿＿＿＿＿＿＿＿＿＿
　　品　　名　：＿＿＿＿＿＿＿＿＿＿＿＿＿＿＿＿＿＿＿＿＿＿＿＿＿＿＿
　　　　　　　　輸入品の場合は，輸入先国の品名を（　）に併記（　　　　　　　　）
　　数　　量　：
2．出展理由：1　当該学会にて申請品目の学術発表が行われる。
　［該当する
　　番号を
　　○で囲む］
　　　　　　　2　新規技術導入により新たに開発された製品。
　　　　　　　3　新規技術導入により改良された製品。
　　　　　　　4　新規原理に基づき新たに開発された製品。
　　　　　　　5　新規原理に基づき改良された製品。
　　　　　　　6　デザイン等に関し，新しい内容，情報等を提供するための製品。
　　　　　　　7　その他（　　　　　　　　　　　　　　　　　　　　）
3．出展会場：＿＿＿＿＿＿＿＿＿＿＿＿＿＿＿＿＿＿＿
4．出展日時：　年　月　日　～　月　日
　　　　　　　＊　展示受託責任者（代表者）名となる場合もある。
　　　　　　　＊＊　出展理由説明書及び出展品の内容説明資料をいう。

（記載例1　：　別紙の例示）　　　　　　　　　　　　　　　　　　　　　別紙

出展理由説明書

1．画質向上の理由の概要
　a）連続X線により短時間に大量のデータ収集ができ，体，動の影響を抑え，より精密な画像が得られる。
　b）X線高電圧発生に高周波インバータ方式を採用し，安定した高電圧により短時間スキャンでも高画質が得られる。
2．その他（出展品の特長を示す資料があれば追加する）

以上

図6-2　出展申請書の様式

〔日本医療機器産業連合会法制委員会適正広告基準の解釈に関わるWG：未承認医療機器等の展示に関するガイドライン細則　業界自主運用基準（2019年10月改訂発行版）より〕

```
様式2
                    出 展 要 請 書

令和 年 月 日 出展者名殿
                                              展示出催者名
                                              代表者名
                   ○○○展示会への出展依頼

　貴社より出展申請のありました下記（1）の医薬品医療機器等法未承認品については，当会で十分検討し
た結果，当会の趣意に合致していると判断いたしましたので，下記（2）及び（3）を条件に標記展示会に
出展をしていただきたく，ご依頼申し上げます。
                             記

（1）出展依頼品目
      （品　名）                                      （数　量）
（2）出展場所及び期間
    出展場所：（出展会場名）
    出展期間：令和　年　月　日～令和　年　月　日
（3）出展条件（注2）
    ① 未承認品であり，販売，授与出来ない旨を明示すること。
    ② 予定される販売名は標ぼうしないこと。
    ③ 製造方法，使用目的又は効果，性能に関する標ぼうは精密かつ客観的に行なわれた実験のデータ等
      事実に基づいたもの以外は行わないこと。（ただしデザイン展等はこれらを標ぼうしてはならない。）
    ④ 関連資料等の配布は原則として行わないこと。
    ⑤ 展示終了後は，販売，授与せず，廃棄，返送等の適切な措置をとること。
    （注1）出展依頼品目が複数の場合は，列記すること。
    （注2）出展条件は，ガイドラインの趣旨にそって展示会の種類により内容を決定し，不要な条件
          を削除して作成すること。
```

図6-3　出展要請書の様式
〔日本医療機器産業連合会法制委員会適正広告基準の解釈に関わるWG：未承認医療機器等の展示に関する
ガイドライン細則　業界自主運用基準（2019年10月改訂発行版）より〕

```
様式3
                                                          年　月　日
                                              展示主催者名
                                              担当者名
                 ○○○展示会未承認品展示要請一覧表

期間　：　　　年　　月　　日～　　月　　日
場所　：
```

一連番号	出展者	出展品目		数量	国産輸入の別	出展の有無
		一般的名称	品　名			

図6-4　未承認品展示要請一覧表の様式
〔日本医療機器産業連合会法制委員会適正広告基準の解釈に関わるWG：未承認医療機器等の展示に関する
ガイドライン細則　業界自主運用基準（2019年10月改訂発行版）より〕

表6-2 未承認医療機器の情報提供に関する主な議論内容

1. 「医薬品等適正広告基準について」の目的は，誇大広告等の禁止を通じて，医薬品等による保健衛生上の危害を防止することにあると解されるが，これにより未承認の医療技術，医薬品，医療機器等の情報提供ができないとの指摘がある。
2. 新規技術の開発を進めるうえで，有効性と安全性のバランスに関する医師・市民とのコミュニケーションが重要であり，特に臨床現場の医師が海外等で開発中の技術，医薬品，医療機器の情報を得ることは，ドラッグラグ，デバイスラグの解消促進や臨床における選択肢の多様化を含め意義が大きい。
3. そのため，未承認の医療技術，医薬品，医療機器等に関する情報提供がより円滑にできるよう，情報提供可能な要件を明確化し，周知すべきである。

しかし，近年では特に海外において先に発表される製品（国内未承認製品）の情報について，医師等の医療従事者自身による海外学会および学会併設展示会等への参加やインターネットによる海外医療機器業者のホームページへのアクセスなど，日々多くの未承認製品の情報（適応外使用含む）が簡単に入手できる状況になってきた。そのため，わが国における医療技術のイノベーションを推進していくうえでも新たな医療情報の提供が不可欠となっている状況にあって，適切で質の高い情報提供に関する指針（Q&Aを含む）が作成された。

一方，「フィブリノゲン製剤にトロンビンなどの複数の薬剤を配合して糊状にし，出血箇所の閉鎖などに利用する『フィブリン糊』について，改正前の薬事法で承認された使用方法ではないにもかかわらず小冊子（パンフレット）を作成し，これをプロパー（営業担当者）が営業用の資料として用い販売促進活動を行っていた〔薬害肝炎事件の検証及び再発防止のための医薬品行政のあり方検討委員会『薬害再発防止のための医薬品行政等の見直しについて（最終提言）』（2010年4月28日）より抜粋〕との実態があり，このことにより薬害肝炎が蔓延したという事実があったとされている。このような行為は，その資料の配布目的からして到底，医師等の求めに応じて行われた学術情報の提供とみなすことはできず，本事例のような学術的情報提供と偽った悪質な販売促進活動については容認できるものではない。このような状況を勘案して，あくまで未承認医療機器に関する医師等専門家からの求めに応じた情報提供について作成されたものであることに十分留意する必要がある。

② 可能な情報提供の範囲

情報提供として認められる範囲を表6-3に示す。これらの情報提供にあたっては医師等から情報提供依頼書を得ておくことに留意することが必要である。

根拠法令，通知等
- 「未承認の医療機器に関する適正な情報提供の指針について」に係る質疑応答集について（平成24年2月13日医機連発第169号）

③ 未承認医療機器の情報提供のフロー

未承認医療機器の情報提供のフローを図6-5に示す。

表6-3 情報提供として認められる範囲

1. 海外の展示会やホームページなどで公知公表されたカタログ等の提供および承認申請した事実（ただし、申請予定日申請日や取得予測時期については不可）
2. 国内の学会併設展示会などで公知となっている承認申請中の医療機器の設置に要する電源設備、最低設置面積等の病院施設の構造設備に関すること
3. 学会と企業の共催または後援のセミナー等で、講師の医師等が未承認機器に関する内容が含まれる講演（ただし、「本講演には薬事未承認の内容を含みます」と明記する）
4. 医局等での、海外の最新医療事情、最新術式などの発表や説明会（ただし、製品の写真、仕様等を説明する必要がある場合には、国内未承認品であることがわかるようにする）

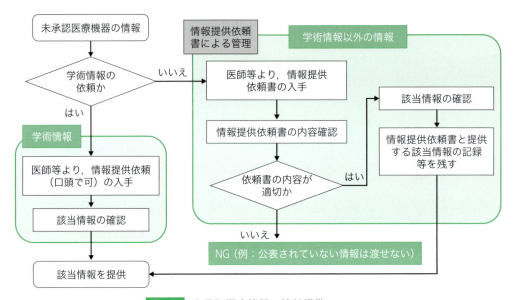

図6-5 未承認医療機器の情報提供のフロー

④「医師等専門家の求め」に対する記録の考え方と未承認医療機器に関する情報

■ 従前より認められている学術的研究報告

　口頭などによる依頼があれば、特段の「医師等専門家の求め」に対する記録は不要である。

■ 学術的研究報告以外の未承認医療機器に関する情報

　例えば、当該製品の海外で使用されているカタログ・仕様書・取扱説明書などの製品に関わるものについては記録を残す。

■ 企業として行った未承認医療機器の情報提供が医師等からの依頼であることを明確にする

　記録としての情報提供依頼書（情報の入手元、提供を受けたい情報の種類、内容など）を医師等から入手する。さらに、依頼書の入手・情報提供の方法に関する手順・ルールなどを社内で取り決めることにより、個人的な対応ではなく組織（企業）として適切に運用できるようにすることが望ましい。

⑤学術的研究報告（学術情報）

以前より，学術的研究報告を「医師等専門家の求め」に応じて情報提供する場合には，原則，医薬品等適正広告基準が適用されていない。

■ 学術情報の定義

学術情報は，当該医療機器に関する記述のある科学的・技術的文書で，エビデンスを有し，かつ公表されているものとされる。なお，「エビデンスレベルの分類」および「公表媒体の種類」は問わない。

文書以外の情報提供について，口頭（学会展示での会話等）は本定義には含めず，別途Q&Aで個別に言及されている。

> **根拠法令，通知等**
> ○「医療機器の広告に関するQ&A」について（平成23年1月27日事務連絡）

診療報酬（技術料）の収載提案の際の「医療技術評価提案書」で用いられているエビデンスレベルは7つのレベルに分けられている（表6-4）。

エビデンスレベルの定義は，表6-4に示したエビデンスを内容として含み，かつ公表されているものが学術情報と定められるものである。また，医療機器の場合，非臨床の記述のみのものも「エビデンスを有する」に含まれるものとする（ここで，「非臨床の記述のみ」とは，動物実験のみ，モデル実験などの性能試験のみ，物理・化学的試験のみ，細胞などを用いた in vitro 試験のみ，コンピューターシミュレーションのみなどをいう）。

表6-4 エビデンスレベル

高　エビデンスレベル　低
1. システマティック・レビュー/ランダム化比較試験のメタアナリシス
2. 一つ以上のランダム化比較試験による
3. 非ランダム化比較試験による
4. 分析疫学的研究（コホート研究）
5. 分析疫学的研究（症例対照研究，横断研究）
6. 記述研究（症例報告やケース・シリーズ）
7. 患者データに基づかない，専門委員会や専門家個人の意見

〔福井次矢，他・編：Minds診療ガイドライン作成の手引き2007．医学書院，p15，2007より〕

■ 学術情報の範囲

学術情報とは，筆者が医療従事者，大学などの研究者，行政職員，企業の技術者・研究者など（ただし，もっぱら営業活動に従事する者は含まれない）（以下，医療従事者等）となっている表6-5に示すものを指す。

商業的学術誌や企業の広報誌に掲載された座談会記事（筆者が医療関係者であるか否かを問わない）や筆者が不明の記事，前述した学術情報の該当例であっても企業が手を加えて再作成したもの〔要約化，アンダーラインによる強調，外国語の場合の和訳（あくまでも参考訳とい

表6-5 学術情報

1. 学術雑誌（商業的・非商業的を問わない）に掲載された総説，論文，解説
2. 非商業的学術雑誌に掲載された座談会記事
3. 学術集会（全国大会，地方会を問わない）抄録・シンポジウムなどの記録集
4. 企業の技術情報誌

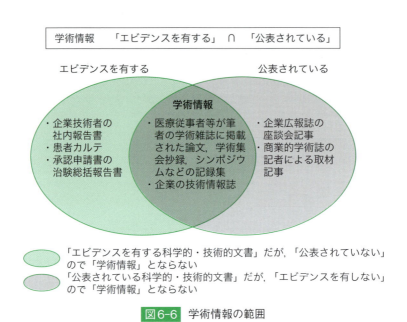

図6-6 学術情報の範囲

う位置付けで原文の添付である場合は可）〕は学術情報には該当しない。これらを図6-6に示す。

⑥ 未承認医療機器に関する情報提供Q&A

未承認医療機器の情報提供に関するQ&Aを表6-6に示す。

> **根拠法令，通知等**
> ○未承認の医療機器に関する適正な情報提供の指針について（平成24年3月30日薬食監麻発0330第13号）
> ○「未承認の医療機器に関する適正な情報提供について」に係わる質疑応答集について（平成24年2月13日医機連発第169号）

6-3 表示/添付文書に関する規制

1. 表示に関する規制

製品や包装への表示や製品に添付文書を添付する行為は，製造工程の一部として行われる

表6-6 未承認医療機器の情報提供に関するQ&A

質問	回答
製品情報	
Q1. 当該企業により学会などで発表された海外未承認の開発中の機器に関する情報提供を医師等専門家（以下，医師等）より求めがあった場合は，どの程度の情報提供が可能か。	A1. 公知の文献，論文など当該医療機器に関する記述のある科学的・技術的文書で，「エビデンス」を有し，かつ公表されている学術的研究報告（以下，学術情報）の範囲内であれば可能。
Q2. 海外ですでに販売されている医療機器について，海外の展示会，学会等や海外製造企業のホームページなどにより知り得た国内未承認医療機器に関する問い合わせが医師等より求めがあった場合，どのような情報提供が可能か。	A2. 医師等の求めに応じて情報提供する場合は，①学術情報だけでなく，②現地で提供されている製品のカタログ，仕様書，取扱説明書など（公表・配布されている公知のもの）の情報提供は可能。なお，①の場合は情報提供の依頼があったことの記録は不要であるが，②の場合は，情報提供依頼書を入手するなど企業として適切に記録を残すことが必要。また，承認申請した事実のみであれば情報提供してもよいが，申請予定日，申請日や取得予測時期に関する情報提供については，広告となる可能性があることから，認められない。
適応外使用	
Q1. 国内既承認品について，海外で承認された国内未承認の適応外使用に関する情報提供を医師等から求められた場合は，どの程度の情報提供が可能か。	A1. 医師等から求めがあった場合には，適応外である旨をしっかり説明したうえで，学術情報，海外で販売されている製品カタログなどの資料を提供するのは可能。なお，海外の製品カタログなどに適応外である旨をシールなどで表示すること。
Q2. 国内既承認品について，海外でも未承認である適応外使用に関する学会発表などの情報提供を医師等から求められた場合は，どの程度の情報提供が可能か。	A2. 医師等から求めがあった場合には，適応外である旨をしっかり説明したうえで，学術情報を提供することは可能。
医療機器の設置，設備情報	
Q1. 国内の学会併設展示会などで公知となっている承認申請中の医療機器について，医師等の求めに応じて，その設置に関する情報を提供することは可能か。	A1. 設置に要する電源設備，最低設置面積および室内高などの病院施設の構造設備に対する必要事項については可能。ただし，提供する情報に販売名，性能，効能または効果に関する情報を含まないこと。
海外展示会，講演，説明会	
Q1. 国内企業が開発，製造した国内未承認の医療機器について，海外で先行して販売（または発表）しているものについて，国内で医師等から詳細仕様の説明を求められた場合は，どの程度の情報提供が可能か。	A1. 海外の展示会で公開された情報をそのまま提供することは可能であるが，それ以外の詳細な仕様の提供はできない。
Q2. 国内で開催される学会において，学会と企業の共催または後援のセミナーなどで講師の医師等が未承認機器に関する内容が含まれる講演をするのは差し支えないか。また，その抄録や講演記録を作成し配布することは差し支えないか。	A2. 「本講演には薬事未承認の内容を含みます。」（発表スライドの場合），「本抄録（または記録集）には，薬事未承認の内容を含みます。」（抄録または記録集の場合）と明記すること。

（次頁へ続く）

(表6-6続き)

質　問	回　答
Q3．医局，学会あるいは医療施設のグループなどより，海外の最新医療事情，海外での最新術式などの発表や説明会をしてほしい旨の依頼が医師等よりあった場合，発表内容に使用される医療機器の一部に国内未承認品が含まれるが，どのようにすれば発表や説明が可能か。	A3．発表や説明の内容は，あくまで最新の医療事情，術式等の紹介だけとし，製品の広告にならないように注意すること。なお，医療機器に密接した術式において，その術式などの説明に必要な範囲で医療機器の特徴，使用方法などを説明する場合はこの限りではない。また，発表時に製品の写真，仕様などを説明する必要がある場合には，当該製品が国内未承認品であることがわかるようにすること。
その他の情報	
Q1．海外で使用された未承認医療機器（整形用インプラント製品，ペースメーカなど）を後に日本で抜去する場合，情報提供することは可能か。	A1．医師等の求めに応じて，技術情報や抜去する方法等の情報を提供することは可能。
医師個人輸入	
Q1．医師により個人輸入された国内未承認医療機器について，使用方法などの情報提供を依頼された場合は，提供する義務はあるか。	A1．原則，医師の個人輸入であるため，医師個人の責任で取り扱われるものであり，輸入先に確認していただく必要がある。したがって提供義務はない。
Q2．医師が個人輸入した未承認医療機器を国内で使用している場合，海外での安全情報等について情報提供してもよいか。	A2．医師の個人輸入であるため，原則，医師個人の責任で取り扱われるものである。したがって，医師個人の責任において，輸入先に確認していただく必要があるので，提供しなくても問題はない。ただし，安全に関わる情報に限っては国内企業など（例えば日本の子会社）が海外等において当該医療機器に関する危害が発生している等の情報に接し，健康被害の発生防止のために情報提供を行うことが必要と判断した場合は，提供可能。
輸入代行業者	
Q1．個人輸入代行を行う事業者は，医師等の求めがあった場合，未承認医療機器の情報提供は可能か。	A1．平成14年8月28日付厚生労働省医薬局長通知「個人輸入代行業者の指導・取り締まりについて」（医薬発第0828014号）にあるとおり，輸入代行を行う事業者は輸入者からの要請に基づき輸入に関する事務手続きを代行するだけとなっているので，たとえ医師等の求めがあった場合でも提供することはできない。

が，表示事項に対する責務は製造販売業者に求められている。法的に求められている表示は，法定表示といわれ，適正使用のための情報（使用期限，単回使用の医療機器である旨等）や，万が一，不具合が発生した場合に不良品の特定や対応に必要な情報（製造販売業者の名称および住所，製品番号など）があり，表示すべき事項（法定表示事項）やそれらを表示する場所，表示場所の面積が狭い場合などの簡略記載等のほか，表示として記載してはならない事項等が規定されている。

　また，医薬品医療機器法でソフトウェア単体（法律上は「プログラム」）についても，診断，治療などに使用されるものは，単体であっても医療機器として規制されることになった。ただし，プログラムという無体物であるため，装置ものの医療機器とは異なった特徴も踏まえて規制されることになった。法定表示事項は，他の文字，記事，図画または図案に比較して見やす

い場所に表記され，原則，読みやすく理解しやすい用語による正確な記載がされていること，また明瞭にかつ日本語で記載することが求められる。

なお，法定表示事項に誤記などの表示違反があった場合，市販後の安全対策の一環として自主回収し，表示等を改善することが求められるので，製造業者や製造販売業者はそのようなことにならぬよう十分な配慮が必要である。回収は健康への危険性の程度に応じ，Ⅰ～Ⅲのクラスに分類される（表6-7）。医療機器のクラス分類では，クラスⅠが最もリスクが低くクラスⅣが最も高いが，回収のクラス分類は逆で，クラスⅠが健康への危険性の程度が大きく，クラスⅡ，クラスⅢにいくに従ってその程度は小さくなっている。ラベル間違い，記載誤りなど表示に関するものはクラスⅢ回収情報として扱われ，クラスⅢ回収の多くが表示に関するものといわれている（医療機器の回収情報については，PMDAのホームページを参照）。

表6-7　回収のクラス分類の定義

クラスⅠ	その製品の使用等が，重篤な健康被害または死亡の原因となり得る状況
クラスⅡ	その製品の使用等が，一時的もしくは医学的に治癒可能な健康被害の原因となる可能性があるかまたは重篤な健康被害のおそれはまず考えられない状況
クラスⅢ	その製品の使用等が，健康被害の原因となるとはまず考えられない状況

根拠法令，通知等
○医薬品・医療機器等の回収について（平成26年11月21日薬食発1121第10号平成26年11月21日）

①法定表示事項および留意事項

法定表示事項（8項目）を表6-8に示した。なお，このうちすべての医療機器に共通して求められる事項を緑字で示した（1，2，3，8-1の4項目）。

根拠法令，通知等
○医薬品，医療機器等の品質，有効性及び安全性の確保等に関する法律
（直接の容器等の記載事項）
第63条

②表示場所

法定表示事項は，医療機器本体または直接の容器もしくは直接の被包に表示することが必要である。医用電気機器等は，本体の銘板に表示されるのが一般的であり，滅菌医療機器（単回使用の医療機器）等は，製品の特性によって本体にラベルで表示する場合や直接の容器，直接の被包（通常，個包装の形態をとっている）に表示を行っている。

なお，個包装の面積が狭いものなどは，最小流通単位の包装に表示されていればよいとされて

表6-8 法定表示事項および留意事項

法定表示事項	留意事項
1. 製造販売業者の氏名または名称および住所	法人の場合，その社名および住所を記載する。なお，製造販売業者の住所とは，登記された住所ではなく，総括製造販売責任者等がその業務を行う主たる機能を有する事務所の所在地をいう。
2. 名称	一般的名称のほか，販売名が含まれる
3. 製造番号または製造記号	ロットの別を明らかにすることができる番号または記号を表記するが，機器など個別番号を表記する場合もある。
4. 重量，容量または個数などの内容量	エックス線フイルム，縫合糸，歯科用印象材料，コンドームなど10品目が指定されている。
5. 医薬品医療機器法第41条第3項の規定によりその基準が定められた医療機器にあっては，その基準において定められた事項	
6. 医薬品医療機器法第42条第2項の規定によりその基準が定められた医療機器にあっては，その基準において定められた事項	人工呼吸器警報基準等
7. 指定する医療機器にあっては，その使用の期限	①エックス線フイルム ②承認事項として有効期間が定められている医療機器 3年に満たないものは，承認上有効期間の設定が求められている。
8. その他，厚生労働省令で定める事項 ①高度管理医療機器，管理医療機器，一般医療機器の別 ②外国特例承認取得者等の氏名等 ③特定保守管理医療機器は，その旨 ④単回使用の医療機器（1回限りの使用で捨てる医療機器）は，その旨 ⑤歯科用金属を組成する成分の名称およびその分量 ⑥生物由来製品は，生物由来製品である旨	簡略記載等の特例 ①高度管理医療機器：「高度」 ②管理医療機器：「管理」 ③一般医療機器：「一般」 ④特定保守管理医療機器：「特管」

いる。

また，医薬品は小売のためさらに包装されている場合等，外部の包装から透かして容易に見ることができないときは，外部の包装にも同様の表示が求められるが，医療機器にはこの規定がなく，法的には流通箱等の外部の包装には法定表示は求められていない。ただし，製品の特性に応じて流通上必要な項目・情報を表記するのが一般的である（図6-7）。法律で定められた法定表示事項としては表6-8のとおりであるが，2021年7月からは，注意事項等情報を読込むことができる符号（GS-1）の貼付が求められている（2年間の猶予期間）。

③表示としての記載禁止事項

医療機器を使用者に適正かつ安全に使用してもらうため，医療機器本体や直接の容器等に必要な情報として法定表示事項が定められているが，虚偽や誤解等を与えるおそれのある事項等を記載することは禁止されている（表6-9）。

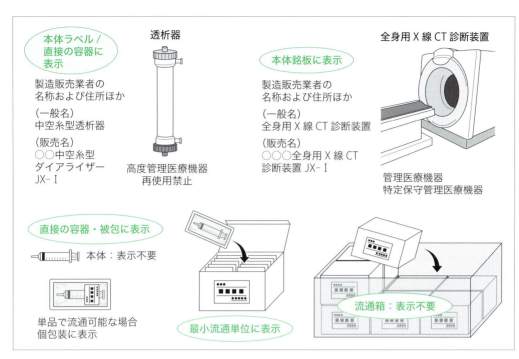

図6-7 法定表示事項と場所等のイメージ

表6-9 記載禁止事項

1. 虚偽または誤解を招くおそれのある事項
2. 承認外の効能,効果または性能
3. 保健衛生上の危険がある用法,用量または使用期間

④医療機器プログラム等の表示

ソフトウェア単体（医薬品医療機器法上は「プログラム」）についても,基本的には医用電気機器等の医療機器と同様に扱われるが,無体物であるがゆえの規制も一部導入された。特に,記録媒体を通じて提供する場合や電気通信回路線（ダウンロード等）を通じて提供する場合等,その取り扱いについて通知に示されている。

根拠法令,通知等
○医療機器プログラムの取扱いについて（平成26年11月21日薬食機参発1121第33号／薬食安発1121第1号／薬食監麻発1121第29号）
○医療機器プログラムの取扱いに関するQ&Aについて（平成26年11月25日事務連絡）

2. 注意事項等情報に関する規制

医療機器の使用者に適正かつ安全に使用してもらうため,有効性や安全性ならびに適正使用に関する情報を提供することが求められている。2021年8月施行の改正医薬品医療機器法の

前は，使用および取扱い上必要な注意等の事項を情報提供文書としてすべての文書（取扱説明書等を含む）を製品に添付することが求められていた。この標準的なA4サイズの定型での作成を求められていた文書は製品に添付する文書として「添付文書」とよばれていたものである。2021年の改正法からは，医療機関向けの品目では，紙の添付が不要になったため，総称として「注意事項等情報」となったが，「電子化された添付文書」等馴染みある「添付文書」の呼称は健在している。この文書は，製造販売業者が医療機器の適正情報を伝える手段の一つであり，情報提供のための重要な媒体であることは変わりない。

また，開発段階においてリスクマネジメントの一環としてリスクコントロールが行われ，その際のリスク低減策として，医療機器そのものに対して「リスクを回避する」，「警報等の防御手段を追加する」，さらにそれらでは対処できないときは，表6-10に示すような安全等に関する情報を提供するという手段がとられる。そのアウトプット先が添付文書でもある。

なお，主として一般消費者の生活の用に供される品目では，原則，文書（紙媒体）で直接容器・被包（注射針等製品によっては，最小流通単位の包装）に入れ，製品と一緒になって顧客に提供するものであることに変更ない。

表6-10 安全等に関する情報

1. 機器のラベリング（取扱説明書を含む）に警告を入れる
2. 機器の使用や使用状況を制限する
3. 不適切な使用や発生しうるハザード等の情報を提供する

①添付文書の電子化

改正医薬品医療機器法の第68条の2の規定により，もっぱら家庭において使用される医療機器を除き，医療機器の容器には，符号〔GS1バーコード（global trade item number；GTIN）〕の記載が求められ，その符号から，ユーザーがPMDAのホームページに掲載する「使用及び取扱い上の必要な注意等の情報」にアクセスできるよう，この公表が義務となった。それとともに紙の注意事項等情報を製品に添付することは不要になった。電子的な情報提供の全体は図6-8のとおりである。

改正法によって提供すべき情報に変更はないものの，電子的な情報提供が求められることとなり，その方法として容器への符号の表示とPMDAホームページへの掲載（公表）が必須の要求事項となった。注意事項等情報の公表は，改正法の前は，届出対象のクラス4の医療機器のみが対象であったが，この電子化にともない「専ら家庭において使用される医療機器」を除き，すべてのクラスの品目が対象となった。この「専ら家庭において使用される医療機器」は，令和3年2月15日厚生労働省告示第44号にて告示されており，例として表6-11に示す。告示されていない品目であっても，薬店などを経由して，消費者が直接購入する品目の場合は，医療機関向けの品目と同様に電子的な情報提供が求められるとともに，紙による情報の添付が求められるので注意が必要である。

> **根拠法令, 通知等**
>
> ○医薬品, 医療機器等の品質, 有効性及び安全性の確保等に関する法律
> （容器等への符号等の記載）
> 第63条の2
> （注意事項等情報の公表）
> 第68条の2
> ○医薬品, 医療機器等の品質, 有効性及び安全性の確保等に関する法律施行規則別表第四の二の規定により厚生労働大臣が指定する医療機器（令和3年2月15日厚生労働省告示第44号）
> ○医薬品等の注意事項等情報の提供について（令和3年2月19日薬生安発0219第1号）
> ○「医薬品等の注意事項等情報の提供について」に関する質疑応答集（Q&A）について〔令和3年2月19日事務連絡（最終改正 令和3年7月14日）〕
> ○医療機器の電子化された添付文書の記載要領について（令和3年6月11日薬生発0611第9号）

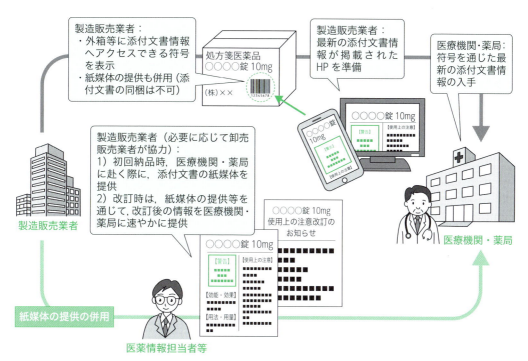

図6-8 電子的な情報提供の全体

表6-11 「専ら家庭において使用される医療機器」の例

- ●補聴器
- ●義歯床安定用糊材
- ●眼鏡, 眼鏡レンズ
- ●マッサージ器等の家庭用機器
- ●コンタクトレンズ
- ●生理用タンポン

②注意事項等情報の届出

2014年11月25日施行の医薬品医療機器法において添付文書の届出制が導入された。

添付文書の届出の対象は，クラスⅣの高度管理医療機器で作成時および改訂時に電磁的方法でPMDAに届け出ることとされている。なお，添付文書の届出および公表に関する留意点ならびにそれらに伴う相談について，PMDAより通知文書が発出されている。

> **根拠法令，通知等**
>
> ○医薬品，医療機器等の品質，有効性及び安全性の確保等に関する法律
> （注意事項等情報の届出等）
> 第68条の2の3
> ○注意事項等情報の届出等に当たっての留意事項について（令和3年2月19日薬生安発0219第2号）
> ○注意事項等情報の届出及び公表に関する留意点について（令和3年2月19日薬機安企発第0219001号／薬機安対一発第0219001号／薬機安対二発第0219001号／薬機品安発第0219001号）
> ○添付文書等記載事項の改定等に伴う相談に関する留意点等について（平成26年10月31日薬機安一発第1031002号／薬機安二発第1031002号）

③記載要領

添付文書への記載事項の具体的な内容およびその記載要領が2005年，厚生労働省医薬食品局長通知に定められていたが，改正医薬品医療機器法への対応や医療機器添付文書のあり方についての厚生労働科学研究報告書により，添付文書の記載要領も改正された。2021年8月施行の改正法に基づく添付文書の電子化に伴い，記載要領通知が発出された。

> **根拠法令，通知等**
>
> ○医薬品，医療機器等の品質，有効性及び安全性の確保等に関する法律
> （添付文書等の記載事項）
> 第68条の18
> ○医療機器の添付文書の記載要領の改正について（令和3年6月11日薬生発0611第9号）
> ○医療機器の電子化された添付文書の記載要領について（令和3年6月11日薬生発0611第9号）
> ○医療機器の添付文書の記載要領（細則）について（平成26年10月2日薬食安発1002第1号）【記載要領通知】
> ○医療機器の添付文書の記載要領に関するQ&Aについて（平成26年10月31日事務連絡）

■ 添付文書記載の原則

①添付文書は医療機器の適用を受ける患者の安全を確保し適正使用を図るために，医師等の医療従事者に対して必要な情報を提供する目的で製造販売業者が作成する。

表6-12 添付文書記載のポイント

1. 添付文書は製造販売業者が作成
2. 原則，製造販売承認・認証・届出された範囲で作成
3. 最新の論文その他により得られた知見に基づき作成
4. すでに認知されている事項の記載は行わない

②添付文書は最新の論文その他により得られた知見に基づき作成されるものであり，かつ医療の現場に即した内容とし，随時改訂等の見直しを行う。
③個別の医療機器によらず医療従事者として医療を実施するにあたりすでに注意されていると考えられる事項の記載は行わないこと。
④添付文書等記載事項は，記載要領に従って記載すること。
⑤添付文書に記載すべき内容は，原則，製造販売承認・認証・届出がなされた範囲で用いられる場合に必要とされる事項とする。ただし，その場合以外であっても重要で特に必要と認められる情報については評価して記載すること。
⑥記載順序は，原則，記載要領の「2．記載項目及び記載順序」に掲げるものに従うこと。
⑦記載要領の「2．記載項目及び記載順序」で示す「(1) 作成又は改訂年月」から「(4) 販売名」までの記載項目を添付文書の1ページ目の紙面の上部に記載し，「(5) 警告」以降の記載内容を本文とすること。

　なお，②，③は，記載要領の改正により追加された項目であり，それらを含め記載にあたって考慮すべき事項を表6-12に示した。

■ 添付文書の記載項目と記載順序
　記載項目と順序は，表6-13のとおりである。

■ 添付文書の使用上の注意の記載要領
　「使用上の注意」の記載要領も，記載要領にあわせて改正された。
①使用上の注意の原則
　医療従事者等，使用者に対して必要な情報を提供する目的で，当該医療機器の製造販売業者が添付文書等に記載する。
②記載すべき内容
　承認，認証または届出された使用目的または効果，使用方法等の範囲で用いられる場合に必要とされる事項，重大な不具合・有害事象等特に必要と認められる注意事項を記載する。また，評価の確立していない不具合・有害事象であっても重篤なものは必要に応じて記載する。これらの事項の選択収録にあたっては，広範に収集した国内外の情報を評価して記載しなければならない。なお，医療機器による感染症に関する注意についても不具合に準じて記載する。
③記載の順序
　原則，後述する「使用上の注意の記載項目および記載順序」に従うほか，内容からみて重要と考えられる事項については記載順序として前のほうに配列する。また，「8．使用目的または

表6-13 添付文書の記載項目と記載順序

記載順序	記載項目*	承認等の内容記載
1.	作成または改訂年月	
2.	承認番号等	「正確」に記載
3.	類別および一般的名称等	「正確」に記載
4.	販売名	「正確」に記載
5.	警告	「同様」の内容を記載
6.	禁忌・禁止	「同様」の内容を記載
7.	形状・構造および原理等	「同様」の内容を記載
8.	使用目的または効果	「正確」に記載
9.	使用方法等	「同様」の内容を記載
10.	使用上の注意	「同様」の内容を記載
11.	臨床成績	「同様」の内容を記載
12.	保管方法および有効期間等	「同様」の内容を記載
13.	取扱い上の注意	
14.	保守・点検に係る事項	
15.	承認条件	「正確」に記載
16.	主要文献および文献請求先	
17.	製造販売業者および製造業者の氏名または名称等	

＊：従来求められていた「品目仕様」，「包装」および「製造販売業者および製造業者の住所」は，平成26年10月2日薬食発1002第8号「医療機器の添付文書の記載要領の改正について」により記載不要となった。

○上記表中の記載項目で，緑字で示した「2.承認番号等」，「3.類別および一般的名称等」，「4.販売名」，「8.使用目的または効果」および「15.承認条件」の各項目の記載にあたっては，承認申請，認証申請または届出時に添付した資料内容または承認，認証または届出内容を正確に記載する。

○太字で示した「5.警告」から「7.形状・構造および原理等」まで，「9.使用方法等」から「12.保管方法および有効期間等」までの各項目は，承認または認証申請時に添付した資料内容または承認認証内容と同様の内容とする。
　なお，届出品については，医学・薬学上認められた範囲（クラス分類告示）における一般的名称の定義の範囲内に限る。

効果」または「9. 使用方法等」によって注意事項や不具合・有害事象が著しく異なる場合は分けて記載する。

④記載内容の重複記載

　原則，記載内容が2項目以上にわたる重複記載は避ける。ただし，重大な不具合または有害事象の発生を防止するために複数の項目に注意事項を記載する場合はその限りでない。

　この場合，「使用上の注意の記載項目及び記載順序」に示す「1. 警告」，「2. 禁忌・禁止」の項目等において，記載すべき注意事項を簡潔に記載のうえ，その後ろに「○○の項参照」等と記載し，対応する項目（○○の項）に具体的な内容を記載して差し支えない。

⑤記載内容の削除または変更

　すでに記載している注意事項の削除または変更は，十分な根拠に基づいて行うこと。

⑥データの不十分な場合など

　記載にあたって，データがないまたは不十分な場合にはその記載が数量的でなく包括的な記載（例えば，慎重に，定期的に，頻回に，適宜等）であっても差し支えない。

⑦すでに認知されている事項

　個別の医療機器によらず医療従事者として医療を実施するにあたりすでに注意されていると考えられる事項の記載は行わない。

■ 使用上の注意の記載項目および記載順序

　記載の項目と順序を表6-14に示す。

■ 添付文書と取扱説明書の関連

　添付文書のみでは情報を提供することが安全性上困難である場合等は，別に取扱説明書を作成する。この場合，取扱説明書の冒頭に添付文書を掲載することによって，添付文書と取扱説明書を一体化してもよい。その場合も添付文書の記載内容は，記載要領に従う。また，添付文書の「9. 使用方法等」，「14. 保守・点検に係る事項」については，記述内容をとりまとめて概要を記載するとともに取扱説明書を参照する旨の記載をすることでよい。

　添付文書を取扱説明書と一体化する場合の留意事項としては，添付文書のサイズは，医家向け医療機器については様式・仕様を原則としてA4判とすること，添付文書改訂の際，医療機関において速やかに最新の添付文書に差し替えられるよう取扱説明書の形態，例えば，バインダーを使用する等配慮すること。

　添付文書のほかに取扱説明書を作成している製品については，添付文書の1ページ目の目立つところに，「取扱説明書を必ず参照する」旨を記載する。

表6-14　使用上の注意の記載項目と記載順序

順序	記載の項目	
1.	警告	
2.	禁忌・禁止	
3.	使用注意（次の患者には慎重に適用すること）	
4.	重要な基本的注意	
5.	相互作用（他の医薬品・医療機器等との併用に関すること）	1）併用禁忌（併用しないこと） 2）併用注意（併用に注意すること）
6.	不具合・有害事象	1）重大な不具合・有害事象 2）その他の不具合・有害事象
7.	高齢者への適用	
8.	妊婦，産婦，授乳婦および小児などへの適用	
9.	臨床検査結果に及ぼす影響	
10.	過剰使用	
11.	その他の注意	

■ 医療機器プログラム等の注意事項等情報
①記載事項
　医療機器プログラム等（医療機器プログラムを記録した記録媒体たる医療機器を含む）の注意事項等情報についても，前述の取り扱いに準じて行う。ただし，記載事項の項目については，当該医療機器等の特性に鑑みて必要な項目のみ記載することで差し支えない。
②記載方法
　医療機器プログラムを使用する者が容易に閲覧できる方法により必要事項を記録した電磁的記録を当該医療機器プログラム等とともに提供することが求められる。その方法としては例えば次の場合がある。
1) 電子化された添付文書公表のURLをプログラムの中，またはプログラムの外でダウンロードする画面に掲載する。
2) プログラムをダウンロードする同じ画面に最新の電子化された添付文書のPDF版をおく。
3) プログラムの中で最新の電子化された添付文書情報を閲覧できるようにする。

■ 添付文書テンプレート
　添付文書のテンプレートを図6-9に示す。

6-4 市販後安全対策

　2014年施行の医薬品医療機器法において「医療機器等の使用による保健衛生上の危害の発生及び拡大の防止」が法律の目的として明確化された。これによって開発した製品（医療機器）を厚生労働大臣の承認等を取得して販売することのみならず，市販後の危害の防止，安全への対策もあわせて対応していくことがますます重要になってきた。
　法令の各条でも，医療機器等の安全対策として，情報の提供等，使用成績評価制度，特定医療機器に関する記録および保存（トラッキング制度），危害の防止，不具合や回収等の報告について規定している。これらを図6-10に示す。

1. 使用成績評価制度

　医薬品医療機器法により，それまでの再審査・再評価制度に代えて新たな使用成績評価制度が導入された。再審査・再評価制度は，1996年の法改正により医薬品の制度に準じて導入されたが，医療機器は医薬品と異なり一般的に製品寿命が短く，問題があればすぐに改善しまた使い勝手等を含め改良していくのが一般的である。そのため，これらの特性を踏まえて，再審査・再評価制度から使用成績評価制度として衣替えした。
　改正のポイントは，これまで新医療機器を対象とし，その再審査期間はオーファンデバイス（希少疾病用医療機器）は7年，新構造医療機器は4年，新性能医療機器等は3年とされていたものが，新医療機器（構造，使用方法，効果，性能が明らかに異なる機器）すべてに使用成績評価を求めるのでなく，また承認後経過した製品でも必要性を鑑みて本制度を適用（従前の再評価的な意味合い）することと，使用成績評価を受けるまでの調査期間を，薬事・食品審議

図6-9 添付文書のテンプレート

会の意見を聴いて厚生労働大臣が個別に指定することになったことである。

この使用成績評価制度の概要を図6-11に示す。

新医療機器は，原則，使用成績評価制度の対象と考えられ，承認申請時には「製造販売後調査等の計画に関する資料」の添付が求められるが，承認申請する者は使用成績評価制度の対象となるかどうかについて考察し，対象とならないと考えた場合には添付が不要とされている。ただし，申請時に使用成績評価制度の対象とならないと考えて申請された医療機器であっても，審査の過程で対象と判断された場合には，製造販売後調査等の計画に関する資料の提出が求められる。

■ 対　象

使用成績評価制度の対象は，原則，新医療機器であって，国内外で類似の医療機器がない，または使用経験が乏しい場合である。ただし，日本の規制上，新医療機器に該当するものであっても海外における使用実績が十分にあり，医療環境の違い等を考慮する必要がない場合，あるいは国内において適応外使用等使用実績が十分にあり，適応外公知申請に相当する場合は

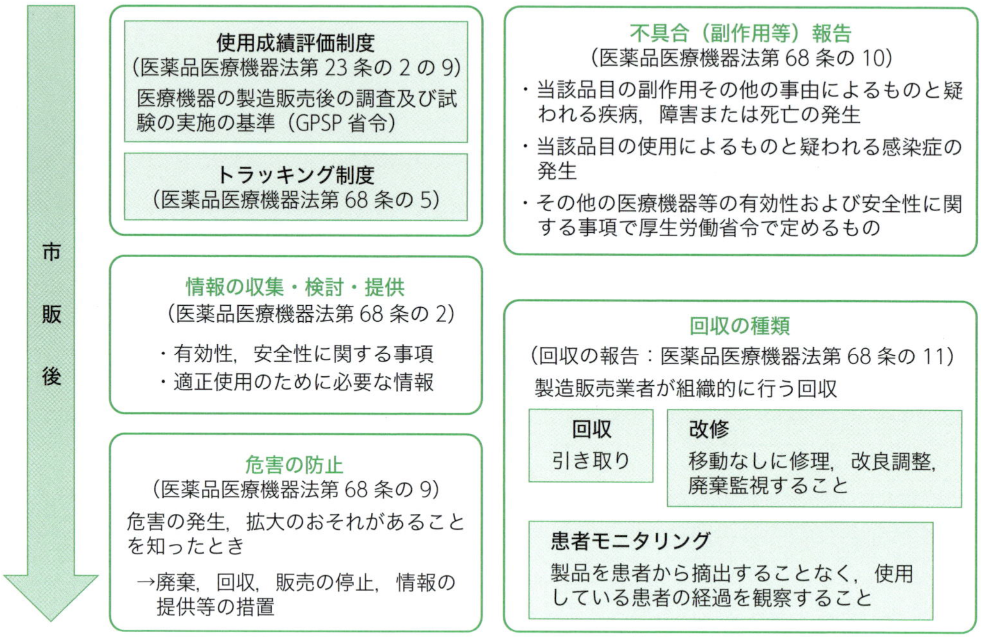

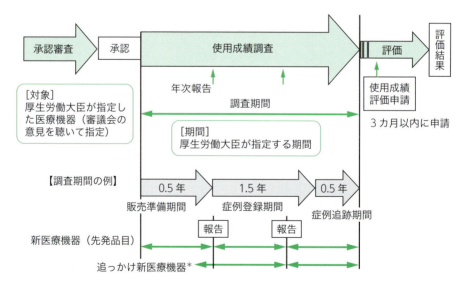

図6-10 市販後安全対策の概要

図6-11 使用成績評価制度の概要

対象外となる。
　追っかけ新医療機器では，品目ごとに調査の必要性が検討される。
　改良医療機器（臨床あり）では，品質，有効性および安全性の確認がされているものの，臨

床試験データ等により重大な不具合が生じる可能性が懸念されている等，特に使用成績の確認が必要と判断される場合は使用成績評価制度の対象となる。

使用成績評価を受けるまで使用成績調査を実施する。そのデータは，「医療機器の製造販売後の調査及び試験の実施の基準に関する省令」（GPSP省令）で定める基準に従って収集され，作成されたものであることが求められる。

■ 使用成績調査の期間

承認審査の過程で懸念された有害事象の発生率等を分析する場合，新規性やリスクが高く市販後早期における手技の不慣れ等の影響が危惧されることから，有効性や安全性を把握する場合は原則3年程度，植込み医療機器や希少疾病用医療機器等は原則，上限を7年とし5年を目安に個別に検討する。年次報告の結果や不具合報告等を踏まえ，想定されない課題が明らかになった場合は調査期間が延長されることもある。

このほか，対象となる症例数が限られている場合（希少疾病用医療機器，一定の疾患を有する患者群ごとに症例を収集し評価する場合，一定医療機関において連続使用症例を収集し評価する場合），使用成績評価に必要な症例数を踏まえ，販売準備期間，症例登録期間，症例追跡期間等を考慮しての調査期間の設定等も考慮して承認申請時の製造販売後調査等計画書において調査期間を設定しその妥当性を示すことが求められている。

> **根拠法令，通知等**
> ○医薬品，医療機器等の品質，有効性及び安全性の確保等に関する法律
> （使用成績評価）
> 第23条の2の9
> ○医薬品，医療機器等の品質，有効性及び安全性の確保等に関する法律施行規則
> 第114条の39〜45
> ○医療機器及び体外診断用医薬品の製造販売承認に係る使用成績評価の取扱いについて
> 〔平成26年11月21日薬食機参発1121第44号（一部訂正 平成27年12月28日事務連絡）〕
> ○医療機器及び体外診断用医薬品の製造販売承認時に係る使用成績評価の対象に係る基本的な考え方について（平成26年12月26日薬食機参発1226第3号）

2. 特定医療機器に関する記録および保存（トラッキング制度）

トラッキング制度とは，植込み医療機器や医療施設以外で用いられることが想定されている医療機器であって，保健衛生上の危害の発生または拡大を防止するためにその所在地を把握しておく必要があるものとして厚生労働大臣が指定した医療機器（以下，特定医療機器という）について，製造販売業者等が患者の連絡先を記録・保存することで緊急時の迅速かつ容易な対応を行うことを目的とした制度である。その概要を図6-12に示す。

対象品目	医療機関（患者情報）	製造販売業者
1. 植込み型心臓ペースメーカ 2. 植込み型心臓ペースメーカの導線 3. 植込み型補助人工心臓 4. 除細動器（人の体内に植え込む方法で使用されるものに限る） 5. 除細動器の導線（人の体内に植え込む方法で使用されるものに限る） 6. 人工血管（冠状動脈，胸部大動脈，腹部大動脈および肺動脈に使用されるものに限る） 7. 人工心臓弁 8. 人工弁輪	1. 特定医療機器利用者の氏名，住所，生年月日および性別 2. 特定機器の名称および製造番号もしくは製造記号またはこれに代わるもの 3. 特定医療機器の植込みを行った年月日 4. 植込みを行った医療機関の名称および所在地 5. その他特定医療機器に係る保健衛生上の危害の発生を防止するために必要な事項	**記録の項目** 左記の患者情報 **記録の保存** 1. 利用者が死亡したとき 2. 特定医療機器が利用されなくなったとき（特定医療機器の交換など） 3. その他記録を保存する理由が消滅したとき

＊対象品目の指定：厚生労働省告示第448号（平成26年11月25日）該当一般的名称も規定

患者の同意が前提
患者が希望しない場合，連絡先等の記録の作成，保存を要しない

図6-12　トラッキング制度の概要

根拠法令，通知等

○医薬品，医療機器等の品質，有効性及び安全性の確保等に関する法律
（特定医療機器に関する記録及び保存）
第68条の5

○医薬品，医療機器等の品質，有効性及び安全性の確保等に関する法律第68条の5第1項の規定に基づき厚生労働大臣が指定する特定医療機器（平成26年11月25日厚生労働省告示第448号）

○医薬品，医療機器等の品質，有効性及び安全性の確保等に関する法律施行規則
（特定医療機器の記録に関する事項）
第228条の11
（記録の保存）
第228条の14

3．危害の防止

　製造販売業者等は，製造販売した医療機器の使用によって保健衛生上の危害が発生または拡大するおそれがあることを知ったときは，これを防止するために廃棄，回収，販売の停止，情報の提供その他必要な措置を講じなければならない。

4．情報収集・提供

　医療機器は，製造販売承認等の際，有効性や安全性データ〔理化学的データ，非臨床試験デー

表6-15 安全管理情報

1. 医療関係者（医師，薬剤師，看護師）からの情報
2. 学会報告，文献報告その他研究報告に関する情報
3. 厚生労働省その他政府機関，都道府県およびPMDAからの情報
4. 外国政府，外国法人などからの情報
5. 他の製造販売業者などからの情報
6. その他安全管理情報（1.〜5. 以外のあらゆる安全性情報）

タ，臨床試験（治験）等〕等を評価して承認等を受けているが，実際に医療機関における使用前後において初めて不具合がわかり，医療機器の安全性に関する事例が発生することがある。

特に，新規性の高い医療機器は臨床的データを収集し評価しているが，治験は限られた症例であり，広範囲で長期間にわたる試験は難しい。有効性を含め，発生率の少ない不具合や副作用等安全性の評価は，非臨床試験や治験での評価だけでは難しいこともあり，製造販売業者は，市販後のフォローアップを含め，有効性・安全性に関する事項や適正な使用のための情報の収集・検討をするとともに，この情報を医療機関等に提供することに努めなければならない。そのための社内体制〔製造販売後安全管理の基準（GVP省令）に基づく体制〕の整備・構築が必要である。

これら有効性，安全性等に関する安全管理情報として，GVP省令上，安全管理責任者等は製造販売後安全管理業務手順書等に基づき，表6-15の情報を収集することとされている。なお，品質に関する情報もこれに含まれるため，その情報の安全管理責任者と国内品質業務運営責任者間のやりとりの必要性，その範囲，対応方法等については手順書に定めておく必要がある。

根拠法令，通知等
○医薬品，医薬部外品，化粧品及び医療機器の製造販売後安全管理の基準に関する省令及び薬事法施行規則の一部を改正する省令の施行について（平成16年9月22日薬食発第0922005号）

また，販売・貸与業者や修理業者も使用する者等に対し，適正な使用のために必要な情報を提供するよう努めなければならない。

一方，医療機関（医療関係者）には，製造販売業者等が行う情報収集への協力とその提供された情報の活用，危害の防止に対する必要な措置の実施への協力，さらに医療機器の不具合等の報告が求められている。これらの関係を図6-13に示す。

5. 不具合報告

不具合報告制度には，企業からの報告制度と医療機関からの報告制度がある。

①企業からの報告制度

製造販売業者は，製造販売した医療機器の不具合（副作用）その他の事由によるものと疑わ

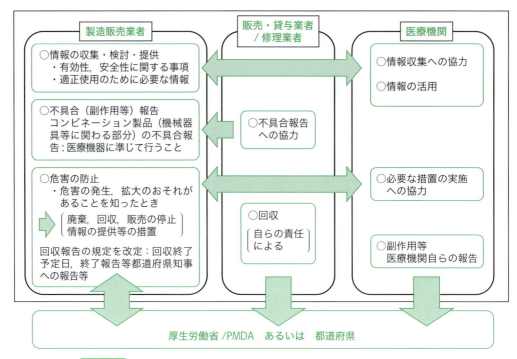

図6-13 情報収集・提供等における製造販売業者と医療機関等との関係

れる疾病，障害または死亡の発生，当該品目の使用によるものと疑われる感染症の発生，その他の医療機器等の有効性および安全性に関する事項で，表6-16に記載するような事象を知ったときは，それをPMDAに報告しなければならない。

不具合とは，製品の仕様上の問題，不良品，故障，不十分な記載および機器による有害事象が該当する。

不具合には可及的速やかな対応が必要であり，事案の緊急性等から当該製造販売業者がそれを知った日から，死亡/未知・重篤は15日以内，既知・重篤は30日以内等，厚生労働省令に定めるところによって報告をしなければならないとされている（図6-14）。

> **根拠法令，通知等**
> ○医薬品，医療機器等の品質，有効性及び安全性の確保等に関する法律施行規則
> （副作用等報告）
> 第228条の20
> ○医薬品等の副作用等の報告について〔平成26年10月日薬食発1002第20号（最終改正令和3年7月30日薬生発0730第8号）

② **医療機関からの報告制度**

医療機関からの不具合等の報告は，制度が周知されてきたことに伴って2005年に法制化さ

表6-16 不具合の分類

事象別不具合	説　明
1. 仕様上の問題	安全性等の観点から設計当時の設計コンセプトの見直し等が必要なものの事象
2. 不良品	1. 製造過程において，医療機器が規格どおりに製造されなかったこと等により発生した事象 2. 流通段階において不適切な輸送・保管が行われたことにより発生した事象
3. 故障・破損	医療機器が規格に従い製造され，かつ品質検査に合格し出荷されたものが，使用中に破損したり，ある一定期間使用された後で動作が不良になったり，機能を果たさなくなった事象
4. 添付文書等の不十分な記載	1. 当該医療機器の使用者が，当該医療機器に関して当然に有していると期待される標準的レベルの専門知識を考慮に入れても，添付文書等の記載が不十分であったために発生したと考えられる事象 2. 第3者から判断してヒューマンエラーを誘発させる表現がされているために発生した事象
5. 機器による有害事象	医療機器の使用に関連して発生したあらゆる好ましくない若しくは意図しない徴候（臨床検査値の異常変動も含む），症状，または病気のことである。また既存の疾患（併存症などを指し，原病は含まない）が増悪した場合も含む。さらに，使用者の取扱い等に由来するものも含まれる。

〔日本医療機器産業連合会PMS委員会・編：不具合報告書等の手引書；医療機器安全管理情報（第8版），2020〕

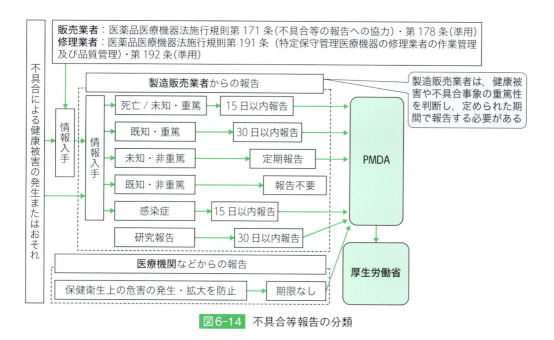

図6-14　不具合等報告の分類

れ，2014年の医薬品医療機器法への移行に伴い報告先が変更された。

「医薬品・医療機器等安全性情報報告制度」は，日常，医療の現場でみられる医療機器等の使用によって発生する健康被害等の情報（副作用情報，感染症情報および不具合情報）を医薬関係者等が厚生労働大臣（窓口：PMDAに変更）に報告する制度であり，報告された情報についての専門的観点からの分析・評価を通じ必要な安全対策を講じるとともに，広く医薬関係

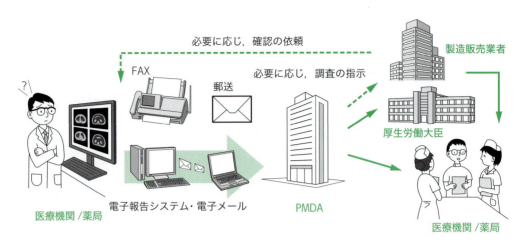

図6-15 医療機関からの不具合報告制度のイメージ

者等に情報を提供し，医療機器等の市販後安全対策の確保を図ることを目的とする。

■ 報告対象となる情報

医療機器の使用による副作用，感染症または不具合の発生（健康被害が発生するおそれのある不具合も含む）について，保健衛生上の危害の発生または拡大を防止する観点から報告の必要があると判断した情報（症例）が報告の対象となる。なお，医療機器との因果関係が必ずしも明確でない場合であっても報告の対象となる。

■ 報告方法

「医療機関等からの医薬品，医療機器又は再生医療等製品についての副作用，感染症及び不具合報告の実施要領の改訂について」（平成27年3月25日薬食発0325第19号）の添付用紙に必要事項を記入し，PMDA安全性情報・企画管理部情報管理課宛に電子報告システム，FAX，郵送または電子メールにて報告を行う。

■ 報告期限

特に報告期限はないが，報告の必要性を認めた場合は速やかに報告する。

■ 情報の公表

報告された情報は，安全対策の一環として広く公開されることがあるが，その場合には，施設名および患者のプライバシー等に関する部分は公表されない。

不具合報告制度の概要について図6-15に示す。

③ 回 収

医療機器等に何らかの不良・不具合が生じた場合，発生するおそれのある健康被害の程度，不良等が生じている可能性の高い製品範囲の特定等について科学的見地から十分検討し，必要な回収が確実に実施されることが重要である。また，回収にあたっては，本来回収する必要のある医療機器等が適切に回収されず，必要な報告がされないことや，必要以上の範囲の医療機器等が回収されること等による保健衛生上の問題が生じないよう配慮することが必要とされている。

不幸にして自主回収しなければならないときは，回収に着手した旨及び回収の状況を厚生労

働大臣に報告する。回収に着手したときの報告は，「回収着手報告書」にて報告することとされており，この内容に変更が生じた場合や着手時点では想定していなかった健康被害のおそれを知った等必要に応じて回収状況を報告し，さらに回収を終了したときは速やかに「回収終了報告」を文書にて行う必要がある。

製造販売業者等で組織的に行う回収は，対応の仕方によって，「回収」，「改修」，「患者モニタリング」の3種類に分けられている。回収の種類と回収に含まれない行為を図6-16に示す。「在庫処理」，「現品交換」は回収に含まれない。また，新製品の発売にあたり，安全等に問題のない旧製品を引き上げる行為も対象外となる。

回収にあたっては，クラスⅡを基本として考え，事由により最終的には厚生労働省に相談のうえ，クラスⅠまたはⅢになるものもある。回収の判断基準を表6-17に示す。

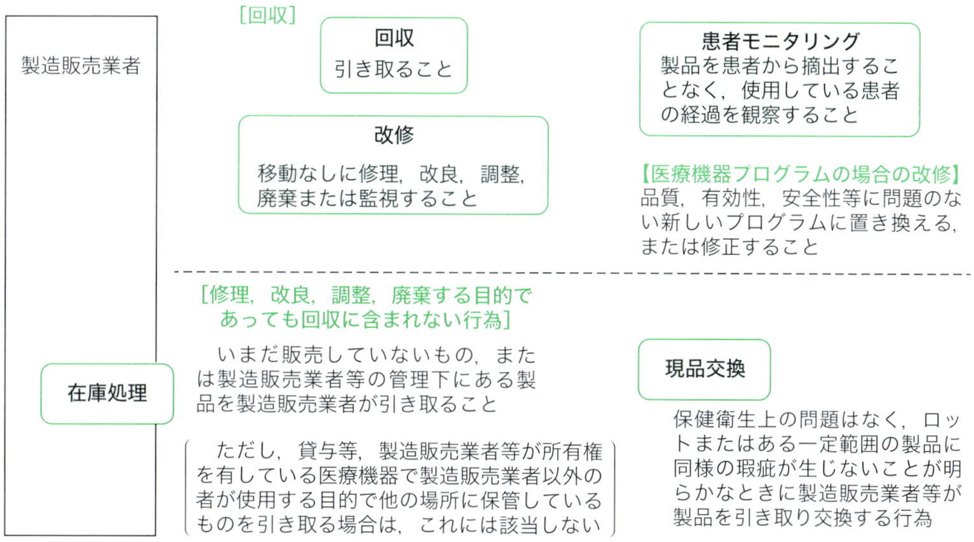

図6-16 回収の概要

表6-17 回収の判断基準

	判断基準
クラス分類を行う場合の考え方	当該不良医療機器等の使用に起因する直接的な安全性に係る状況[*1]だけでなく，その使用により期待される効果が得られない等有効性に係る状況[*2]についても勘案し，これらを総合的な「健康被害」としてクラス分類を行う
原則，クラスⅡに該当	基本的にクラスⅡに該当するものと考え，健康被害発生の原因になるとはまず考えられないとする積極的な理由があればクラスⅢに，クラスⅡよりもさらに重篤な健康被害発生のおそれがある場合にはクラスⅠと判断する
クラスⅡ以外のクラス分類やクラスを変更する場合	クラスⅠもしくはⅢと判断することが妥当と思われる場合，またはその後の状況により当初のクラス分類を変更することが妥当と思われる場合には，その理由を明確にしたうえで都道府県薬務主管課等により事前に厚生労働省（医薬・生活衛生局監視指導・麻薬対策課）へ相談する

*1：手術時間の延長を生じるおそれのある状況等を含む
*2：正確な診断への影響を及ぼすおそれのある状況等を含む

また，回収の要否や回収対象について通知にて示されている。

> **根拠法令，通知等**
> ○医薬品・医療機器等の回収について〔平成26年11月21日薬食発1121第10号（最終改正 平成30年2月8日薬生発0208第1号）〕
> ○「医薬品・医療機器等の回収について」に関するQ&Aについて（平成26年11月21日薬食監麻発1121第5号）

6-5 行政措置

医薬品医療機器法の第1条に規定されているその目的を達成させるための手段，例えば製造販売業者や製造業者として行うべきこと，あるいは表示，添付文書や広告，また市販後の安全対策等が各章に定められている。

加えて，これらの実効性が担保できないときの措置として，立入検査，緊急命令，廃棄，検査命令，改善命令，承認・許可・登録の取り消し等，物や企業に対する行政処置や重大な問題があった場合の罰則（刑事処分）が定められている。これらの関係を示すと図6-17のようになる。

目的（解釈の指針）　〔第1章 総則第1条〕

手段　第5章 製造販売業及び製造業，第7章 販売業，貸与業及び修理業，第8章 基準及び検定（基本要件基準ほか），第9章 取扱い（表示，添付文書，販売・製造等の禁止，第10章 広告，第11章 安全対策，第17章 雑則（治験）等

実効性の担保　第13章 監督（立入検査，緊急命令，廃棄，検査命令，改善命令，承認・許可・登録の取り消し等行政処分），第18章 罰則

行政措置（処分）
1. **物に対して**：問題となった医療機器そのものの処分
   ○ 製造停止，販売停止，賃貸停止等必要な措置をとる（第68条の9）
   ○ 問題となった医療機器の廃棄，回収等の命令（第70条）
   ○ 保健衛生上の危害の発生・拡大防止のための応急措置命令（第69条の3）
   ○ 承認の取り消し（第74条の2）
2. **企業に対して**：その医療機器を製造販売した製造販売業者，製造業者，販売業者・賃貸業者に対する処分
   ○ 業許可の取り消し，業務の全部・一時停止，改善命令等の処置（第72条）
3. **企業の行為に対して**：虚偽・誇大広告を行って販売した経済的利得の一部の納付を求める処分
   ○違反広告への措置命令（第72条の5），課徴金の納付命令（第75条の5の2）

罰則（刑事処分）：罰金（最大1億円）や懲役（最大7年）等

図6-17　医薬品医療機器法は目的で始まり監督と罰則で締め括り

表6-18 販売・製造等の禁止

次のいずれかに該当する医療機器は販売，貸与，授与したり，それらの目的で製造・輸入し，貯蔵や陳列したり，単体プログラムをダウンロードなどで提供（販売，製造などの禁止に違反）してはいけない
1. 医薬品医療機器法第41条第3項に規定する基本要件基準に基づき，その性状，品質または性能がその基準に適合しないもの
2. 承認品であって，その性状，品質または性能がその承認の内容と異なるもの
3. 認証品であって，その性状，品質または性能がその基準に適合しないもの
4. 非視力補正用コンタクトレンズ等で，医薬品医療機器法第42条第2項に規定する基準に適合しないもの
5. 製品の全部またはその一部が不潔な物質または変質もしくは変敗した物質から成っている医療機器
6. 異物が混入または付着している医療機器
7. 病原微生物その他疾患の原因となるものに汚染されている，または汚染されているおそれのある医療機器
8. その使用によって保健衛生上の危険を生じるおそれがある医療機器

　なお，製造販売業の許可を得ずに医療機器を製造販売したときや製造販売承認/認証および一部変更承認/認証を得ずに製造販売した者は，3年以下の懲役もしくは300万円以下の罰金に処し，または併科するとある。また，行為者のみならず，法人に対しては，1億円以下の罰金刑を科すとされている。

　さらに2021年8月施行の改正法により，虚偽・誇大広告を行って販売することで得た経済的利得を徴収し，違反行為者がそれを保持できないようにすることによって，違反行為の抑止を図り，広告規制の実効性を確保するための措置として，課徴金制度が導入された。対象となるのは，医薬品医療機器法第66条第1項に対する違反で，「医療機器の名称，製造方法，効能，効果又は性能に関して，明示的であると暗示的であるとを問わず虚偽又は誇大な記事を広告」となり，対象期間の取引合計金額の4.5％が課徴金として国庫への納付が命じられる。

　また，表6-18のような場合は，販売・製造等が禁止されており，何らかの行政措置がとられる。このようなことにならないよう，社内での教育や体制の整備を図ることが重要である。

根拠法令，通知等
〇医薬品，医療機器等の品質，有効性及び安全性の確保等に関する法律
（販売，製造等の禁止）
第56条
（販売，製造等の禁止）
第65条

6-6 保険収載（適用）の概要

　医療保険制度は社会保障制度の一つの柱であり，1961年にすべての人が加入（強制加入）する「国民皆保険」制度がスタートした。
　この制度の基本は，フリーアクセス（誰でも，いつでも，どこでも受診可）であって，費用

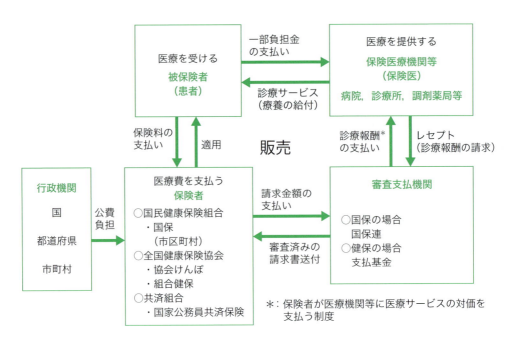

図6-18 健康保険（診療報酬）制度の仕組み

は，原則本人7割負担，残り7割が保険財政から支払われる。医療保険には，大きく分けて，「被用者保険」と「地域保険」，それに加え「後期高齢者医療制度」（原則，75歳以上）がある。被用者保険には，健康保険法に基づく「全国健康保険協会管掌健康保険（協会けんぽ）」，「組合管掌健康保険（組合健保）」，国家公務員共済組合法ほかに基づく「共済組合」などがある。また，地域保険には，国民健康保険法に基づく「国民健康保険（国保）」がある。

　これら健康保険事業を運営する保険者は，保険医療機関等から請求があった場合，審査を行ったうえ，保険医療機関等に対し，療養の給付（健康保険で治療を受けること）に要する費用を支払う。この療養の給付に要する費用の額の算定は「診療報酬の算定方法」による。

　この審査および支払い事務は，国民健康保険の場合は国民健康保険団体連合会（国保連），その他の健康保険の場合は社会保険診療報酬支払基金（支払基金）が行っている（図6-18）。

　診療報酬は，医科，歯科および調剤に分類される。医科診療報酬は，基本診療料と特掲診療料等に分けられ，基本診療料は基本的な診療行為の使用を一括して評価し，特掲診療料は基本診療料として一括して支払うことが妥当でない特別の診療行為に対して個々に点数を設定し評価を行うものとされている。これら診療報酬の構成を図6-19に示す。

　診療報酬の基本は，技術・サービスの評価としての施設管理料（ホスピタルフィー）と，技術料としてのドクターフィーであるが，そのほかモノの評価として薬価と特定保険医療材料がある。

1. 保険診療で使用できる医薬品等

　医薬品の場合，保険医（保険診療を行う医師，歯科医師）は厚生労働大臣の定める医薬品以

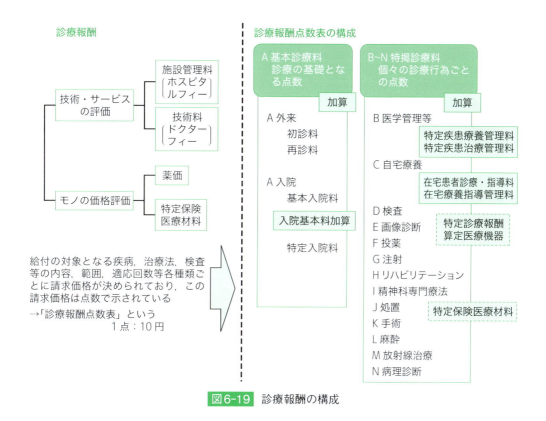

図6-19 診療報酬の構成

表6-19 保険診療で使用される医療材料の評価の考え方

1. 技術料の加算として評価すべき保険医療材料（※技術料の材料加算）
   ①使用される技術が限られているもの：例）超音波凝固切開装置
   ②医療機関からの貸し出しの形態をとるもの：例）在宅の酸素ボンベ
2. 特定の技術料に一体として包括して評価すべき保険医療材料（※技術料包括）
   技術と一体化している材料：例）腹腔鏡のポート，脳波計
3. 技術料に平均的に包括して評価すべき保険医療材料（※技術料包括）
   廉価な材料：例）ガーゼ，縫合糸，静脈採血の注射針，チューブ
4. （1．から3．以外で）価格設定をすべき保険医療材料（※特定保険医療材料）
   ①関連技術料と比較して相対的に高いもの：例）人工心臓弁
   ②市場規模の大きいもの：例）ペースメーカー，PTCAカテーテル

外の薬物を患者に施用または処方してはならないとされている。この保険診療で使用できる医薬品とその償還価格を定めたものが「薬価基準」であり，これに収載されていない医薬品は保険診療では使用できないことになっている。ただし，例外として治験薬，製造販売承認直後における暫定的に評価療養で使用する医薬品および先進医療B（未承認，適応外の医薬品，医療機器の使用を伴う医療技術）として使用する医薬品は保険診療で使用可とされている。

2. 保険診療で使用される医療機器

保険診療で使用される医療機器を分類すると，表6-19のとおりになる。

> **根拠法令，通知等**
> ○医療機器の保険適用等に関する取扱いについて（令和4年2月9日医政発0209第3号／保発0209第4号）
> ○特定保険医療材料の保険償還価格算定の基準について（令和4年2月9日保発0209第3号）
> ○特定保険医療材料の定義について（令和4年3月4日保医発0304第12号）

①特定保険医療材料（区分B）

個別に償還価格が定められ，保険医療機関等における医療材料の支給に要する平均的な費用の額が，診療報酬とは別に定められる医療材料を指し，文字どおり「特定」のものに限られる。「特定保険医療材料及びその材料価格（材料価格基準）」の告示において，特定保険医療材料を機能によって区分〔機能別分類（機能区分）（➡用語解説）〕し，その区分ごとに基準材料価格が定められている。基準材料価格は，医療保険から保険医療機関等に支払われる価格であり，厚生労働省が定期的（原則2年ごと）に実施する材料価格調査（実際の購入価格調査）により改定される。また，既存の機能区分に評価されるものの定義の変更を伴うものは区分B2としての希望書の提出になる。

特定保険医療材料の機能別分類と基準材料価格の例を表6-20に示す。

> **用語解説**
> 機能区分とは，構造，使用目的，医療上の効能および効果等からみて類似していると認められる特定保険医療材料の一群として，厚生労働大臣が中央社会保険医療協議会の意見を聴いて定める区分をいう機能区分ごとに，厚生労働省が実施する材料価格調査の結果に基づき，特定保険医療材料の保険償還価格（基準材料価格）を定める（2020年3月現在，約1,200区分）。

表6-20 特定保険医療材料の機能別分類と基準材料価格の例

機能区分	基準材料価格
心臓手術用カテーテル	
経皮的冠動脈形成術用カテーテル	
一般型	35,500円
インフュージョン型	157,000円
パーフュージョン型	146,000円
冠動脈狭窄部貫通用カテーテル	38,500円
冠動脈用ステントセット	
一般型	113,000円
救急処置型	290,000円
再狭窄抑制型	161,000円

〔特定保険医療材料及びその材料価格（材料価格基準）の一部を改正する件（令和2年3月5日厚生労働省告示第61号）より〕

> **根拠法令，通知等**
> ○特定保険医療材料及びその材料価格（材料価格基準）の一部を改正する件（令和2年3月5日厚生労働省告示第61号）
> ○特定保険医療材料の材料価格算定に関する留意事項について（令和2年3月5日保医発0305第9号）

②特定診療報酬算定医療機器（特定包括：区分A2）

　特定の診療報酬項目に定められる保険診療を行う場合に使用することが可能な医療機器として定められたものであって，特に高額な医療機器等その設置状況等を管理すべきものや診療報酬上の点数の加算に合致しているかを医療機器としても確認特定を要するものが主に指定されている。具体的には，「特定診療報酬算定医療機器の定義等について」（令和2年3月5日保医発0305第11号）において定める区分に該当するものをいう。

　特定診療報酬算定医療機器は，2年ごとの診療報酬改定の際に見直され通知される。なお，該当性は医薬品医療機器法に基づき承認または認証された使用目的によって判断され，複数の定義に該当する医療機器（類別または一般的名称は異なるが，その他の条件を満たすものを含む：複数該当医療機器）は，主たる使用目的に関する特定診療報酬算定医療機器の区分に該当するものとされている。特定診療報酬算定医療機器の例を表6-21，表6-22に示す。

表6-21　特定診療報酬算定医療機器の例（処置）

特定診療報酬算定医療機器の区分	定義			対応する診療報酬項目
	医薬品医療機器法承認上の位置付け		その他の条件	
	類別	一般的名称		
人工呼吸器	機械器具（5）麻酔器並びに麻酔器用呼吸嚢及びガス吸収かん	麻酔システム用人工呼吸器	人工呼吸が可能なもの	J 045人工呼吸
	機械器具（6）呼吸補助器	ガス式肺人工蘇生器		

表6-22　特定診療報酬算定医療機器の例（手術）

特定診療報酬算定医療機器の区分	定義			対応する診療報酬項目
	医薬品医療機器法承認上の位置付け		その他の条件	
	類別	一般的名称		
超音波白内障手術装置	機械器具（12）理学診療用器	白内障・硝子体手術装置	水晶体の破砕が可能なもの	K 282水晶体再建術
	機械器具（29）電気手術器	水晶体乳化術白内障摘出ユニット		

③それ以外の医療機器（診療報酬に包括される医療機器：区分A1）

　個別に医療機器として償還価格が定められるものではなく，また，その医療機器を使用する診療報酬項目も保険適用希望の手続きにおいて特に指定されるものでないものが，「診療報酬に包括される医療機器」である。通常，製造販売承認された使用方法，使用目的または効果の範囲内での保険診療で使用され，その保険償還される診療報酬の技術料にすべて包括されて評価されるもの（保険診療で使用できるものであって，区分Bおよび区分A2以外のもの）が該当する。また，既存技術で包括的に評価するものの，留意事項等の変更を伴うものは区分A3としての希望者の提出になる。

　これらとは別に，新たな特定保険医療材料や特定診療報酬算定医療機器として開発されたものは，区分Cとなり，C1（新機能）とC2（新機能・新技術）に区分される。

　区分C1は，新たな機能別分類が必要であるが，医療技術はすでに評価済みのもの（診療報酬項目あり），区分C2は新たな機能別分類が必要であって医療技術も評価されていないもの（診療報酬項目なし）をいう。

　前述①〜③は，診療報酬上の取扱における区分を示したものである。既存の区分（区分Aおよび B）と新規の区分（区分C），その他（区分R，F）をまとめると**表6-23**，**図6-20**のようになる。

表6-23 医療機器の診療報酬上の区分

区　分	説　明
【既存の区分】	
A1（包括） 　（別にリスト化して定めた「包括別定」）	診療報酬項目において包括的に評価されるもの （例：縫合糸，注射針，手術用手袋）
A2（特定包括） 　＝特定診療報酬算定医療機器	特定の診療報酬項目において包括的にされるもの （例：超音波検査装置と超音波検査）
A3（既存技術・変更あり）	当該製品を使用する技術を既存の診療報酬項目において評価（留意事項等の変更を伴う）されるもの
B1（既存機能区分） 　＝特定保険医療材料	材料価格が機能別分類に従って設定され，技術料とは別に評価されているもの（例：PTCAカテーテル，人工関節）
B2（既存機能区分・変更あり）	既存の機能別分類により評価され，技術料とは別に評価されているもの（機能別分類の定義等の変更を伴う）
B3（期限付改良加算・暫定機能区分）	既存の機能別分類に対して期限付改良加算を付すことに評価されるもの
【新規の区分】	
C1（新機能）	新たな機能別分類の設定が必要。 医療技術はすでに評価済みのもの（診療報酬項目あり）
C2（新機能・新技術）	新たな機能別分類の設定が必要。 医療技術も設定・評価されていないもの（診療報酬項目なし）
【その他】	
R（再製造）	再製造品について新たな機能別分類により評価されるもの
F	保険適用に馴染まないもの

なお，そもそも技術または技術に使用する材料などが特殊であるため，極めて限定的な施設のみで適用可能な疾病の治療方法などは，国民すべてに対する治療方法の提供という観点から保険適用になりにくく，保険適用に馴染まないものとして区分Fとなることが想定される。このようなものは，先進医療Bとして医療機関から対応していくのも一つの方法である。

3. 保険適用希望の手続き

明らかに保険適用の範囲外の医療行為に該当する医療機器，例えば健康保険法の目的から外れる美容整形等に用いられる医療機器は保険適用されない。保険適用希望の手続きを要する医療機器は，医療機器としての製造販売承認，認証取得あるいは届出品である。

つまり，保険適用希望の手続きを要する医療機器は，高度管理医療機器（クラスⅢ，Ⅳ），管理医療機器（クラスⅡ）および一般医療機器（クラスⅠ）であって，承認取得等手続きが完了したすべての医療機器が対象となる。

また，2016年の改正において，区分A1のうち，保険適用希望書の提出が不要で，承認・認証・届出された時点で保険適用される区分A1（包括別定）が定められた。

包括別定は，通知「特定診療報酬算定医療機器の定義等について」にリスト化されているが，一度，A1（包括別定）として保険適用された場合は，以後，当該区分を変更することはできないことに留意が必要である。

包括別定ではなく，区分A2，BやCとして保険適用希望書を提出しようとする場合には，承認・認証の前に申立書を提出することになるので，包括別定とするか，区分A2やB等にするかは，開発の段階で検討が必要である。

①新規収載までの保険収載プロセス

製造販売承認または認証取得後に保険適用希望書を提出する。区分ごとの保険収載プロセスを図6-20に示す。

②保険適用希望書の提出

区分ごとの保険収載プロセスは，図6-21のとおりであるが，そのルートに乗せるためには，保険適用希望書を厚生労働省医制局経済課に提出する必要がある。保険適用希望書の様式，添付資料，記載要領は区分ごとに異なっており，通知にて示されている。

また，事務連絡で保険適用希望書の記載例およびチェックシートが示されている。

> **根拠法令，通知等**
> ○医療機器の保険適用等に関する取扱いについて（令和4年2月9日医政発0209第3号／保発0209第4号）
> ○医療機器に係る保険適用希望書の提出方法等について（令和4年2月9日医政経発0209第2号／保医発0209第2号）
> ○医療機器に係る保険適用希望書の記載例等について（令和2年3月5日事務連絡）

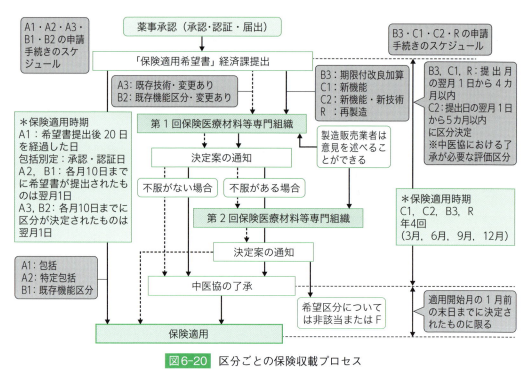

図6-20 区分ごとの保険収載プロセス

〔中央社会保険医療協議会資料より〕

　医療機器は，診療報酬上，医薬品とは異なる。承認等取得後，原則，すべての品目単位で保険適用の手続きが必要である。しかし，多くは技術料に包括され，医療機器個別に保険償還できるものは限定（特定）されたものである（特定保険医療材料：区分として価格設定）。

　新たな区分等で保険適用を求める場合（C1またはC2）は，改良または新医療機器としての承認取得が原則である。後発医療機器としての承認品や認証品は，原則既存品と同じ扱い（A1，A2またはB）となる。

　保険適用は，承認取得してから考えるのでは対応が難しくなることが多くある。後戻りしないためにも，開発段階からどの区分で導入を希望するのか検討することが大切である。また，区分によって必要となる資料が異なる。そのため，承認等に必要なデータを検討するのと並行して保険適用を説明するための資料も検討していくべきと考える。また，厚生労働省医政局経済課にて相談を受けているので積極的に活用されたい。

おわりに

　ものを作っただけでは事業化はできない。上市していくには種々の規制やハードルがある。特に，医薬品医療機器法における行政などへの対応，承認か認証か，あるいは届出か。承認でいくなら申請の区分をどうするのか，また保険適用を既存の区分のなかで考えるのか，新規項目の設定を希望するのか，これらを薬事の手続き（承認/認証申請等）の段階で考えるのでは遅い。薬事手続きから保険適用に進むルートは連動してくるので，どのルートを選択するのか，それに進むためにかかる費用と時間はどうか，開発の初期段階，コンセプトの検討段階からこれらのことを念頭において開発を進めていくことが重要と考える。
　この「医療機器開発ガイド　第2版」がそのための道標になれば，幸いである。

索　引

●数字・アルファベット

30日調査 ･････････････････････････････････ 70
CRA（Clinical Research Associate）･････････ 65
CRC（Clinical Research Coordinator）･･･････ 65
CRF（Case Report Form）･････････････････ 65
GCP（Good Clinical Practice）･････ 6, 45, 47, 68
　──省令 ･･･････････････････････ 47, 64, 68
GHTF（Global Harmonization Task Force）
　････････････････････････････････････ 16, 30
GLP（Good Laboratory Practice）･････････ 6, 47
　──省令 ･･････････････････････････････ 47
GMDN（Global Medical Device Nomenclature）
　･･･････････････････････････････････････ 17
GMP（Good Manufacturing Practice）･･････ 25
GPSP省令 ･･････････････････････････････ 153
GS1バーコード ･････････････････････････ 144
GTIN（global trade item number）････････ 144
GVP（Good Vigilance Practice）･････････････ 6
　──省令 ･･････････････････････････ 92, 93
GVSP（Good Post-marketing Study Practice）
　･･ 6
ICH ･････････････････････････････････････ 68
IDATEN ････････････････････････････････ 57
IEC（International Electrotechnical
　Commission）･･････････････････････････ 26
IMDRF（International Medical Device
　Regulators Forum）･････････････････････ 30
ISO 13485：2003 ･････････････････････････ 22
JMDN（Japan Medical Device Nomenclature）
　･･･････････････････････････････････････ 17
jRCT（Japan Registry of Clinical Trials）････ 75
PDCAサイクル ･･････････････････････････ 49
PTCAバルーンカテーテル ････････････････ 41
QMS（Quality Management System）･･･････ 6
　──省令 ･･････････････ 85, 88, 89, 90, 91, 93, 102
　──施行課長通知 ･････････････････ 105, 110
　──体制省令 ･･････････････････ 77, 79, 86
　──適合性調査 ･･････････････ 55, 120, 122
　──適合性定期調査 ･･･････････････････ 56
Quality Assurance ･･･････････････････････ 49
STED（Summary Technical Document）形式
　･･･････････････････････････････････････ 54
Waterfallモデル ･････････････････････････ 24

●あ行

安全管理情報 ･･･････････････････････ 92, 155
安全管理責任者 ････････････････････････ 93
安全管理統括部門 ･･････････････････････ 93
安定性試験 ･････････････････････････ 35, 39
医制 ･･････････････････････････････････････ 3
一次データ ･････････････････････････ 49, 51
一時的使用 ････････････････････････････ 17
一般医療機器 ･･････････････････････ 17, 28
　──（クラスⅠ）････････････････････ 28, 82
一般的名称 ････････････････････････････ 17
一部承認（認証）事項承認（認証）･････････ 57
医薬品 ････････････････････････････････ 14
　──医療機器法 ････････････････････････ 2
　──戦略相談 ････････････････････････ 60
　──等適正広告基準 ･･････････････････ 128
医療機器 ･･････････････････････････････ 12
　──規制国際整合化会議 ･･････････････ 16
　──国際名称 ････････････････････････ 17
　──製造販売承認申請書 ･･････････････ 55
　──戦略相談 ････････････････････････ 60
　──等安全管理責任者 ････････････････ 89

医療保険 …………………………………… 162
医療用品 …………………………………… 13
インフォームド・コンセント …………… 65
衛生用品 …………………………………… 13
疫学研究 …………………………………… 73
エビデンスレベル ………………………… 137
エンドポイント …………………………… 23

● か行

外国製造医療機器等特例承認取得者 …… 114
回収 ……………………… 9, 141, 152, 158, 159
　　──報告 ……………………………… 96
改修 ………………………………… 9, 152, 159
開発 ………………………………………… 23
　　──前相談 …………………………… 59
改良医療機器 ………………………… 19, 52
学術情報 ………………………………… 137
加工データ ……………………………… 51
観察研究 …………………………… 73, 75
患者モニタリング ………………… 9, 152, 159
完全性 …………………………………… 48
監督 ……………………………………… 9
管理医療機器 ……………………… 17, 28
　　──（クラスⅡ） ……………… 28, 82
管理監督者 ………………………… 86, 106
　　──照査 …………………………… 106
管理責任者 ………………………… 88, 106
危害 ……………………………… 9, 154
機械器具 ………………………………… 13
危険性 …………………………………… 32
記載要領通知 …………………………… 146
技術料 …………………………………… 163
基準材料価格 …………………………… 164
基準適合証 ……………………………… 123
機能別分類 ……………………………… 164
基本要件 …………………………… 26, 30
　　──適合性チェックリスト ………… 34
行政措置 ………………………………… 160

区分
　　──A1（包括） …………………… 166
　　──A2（包括別定） ……………… 166
　　──A3（既存技術・変更あり） …… 166
　　──B1（既存機能区分） ………… 166
　　──B2（既存機能区分・変更あり） … 166
　　──B3（期限付改良加算・暫定機能区分）
　　　　 …………………………………… 166
　　──C1（新機能） ………………… 166
　　──C2（新機能・新技術） ……… 166
　　──F ………………………………… 166
　　──R（再製造） …………………… 166
クラス分類 …………………………… 16, 28
　　──告示 ………………………… 16, 17, 53
経皮的血管形成術用バルーンカテーテル
　承認基準 ……………………………… 41
軽微変更届出 …………………………… 57
検証 ……………………………………… 24
限定一般医療機器 ……………………… 104
現品交換 ……………………………… 159
憲法 ……………………………………… 6
工程出力情報 …………………………… 118
工程入力情報 …………………………… 117
高度管理医療機器 ………………… 17, 28
　　──（クラスⅢ） ……………… 28, 82
　　──（クラスⅣ） ……………… 28, 82
購買情報 ……………………………… 108
購買物品 ……………………………… 108
　　──要求事項 ……………………… 108
後発医療機器 ……………………… 19, 52
国際医療機器規制当局フォーラム …… 30
国際電気標準会議 ……………………… 26
告示 ……………………………………… 6
国内品質業務運営責任者 ……… 89, 91, 113
　　──の要件 ………………………… 90
国民皆保険 …………………………… 161
国民健康保険団体連合会 …………… 162
故障・破損 …………………………… 157
誇大広告 …………………………… 8, 128

コンピュータ化システムバリデーション ……… 50

●さ行

在庫処理 …………………………………… 159
再生医療等製品 …………………………… 13
　──戦略相談 ……………………………… 60
　──等の品質および安全性に関する相談 …… 60
材料価格調査 ……………………………… 164
歯科材料 …………………………………… 13
自己宣言 …………………………………… 28
次世代医療機器評価指標 ………………… 61
施設管理料 ………………………………… 162
事前面談 …………………………………… 59
指定高度管理医療機器等 ………………… 29
市販後安全対策 …………………………… 150
事務連絡 …………………………………… 6
社会保険診療報酬支払基金 ……………… 162
集計データ ………………………………… 51
修理業 ……………………………………… 81
使用上の注意 ……………………………… 147
仕様上の問題 ……………………………… 157
使用成績評価制度 ……………… 9, 150, 152
承認基準 …………………………………… 40
承認申請資料適合性調査 ………………… 55
承認申請パッケージ ……………………… 52
承認前の広告 ……………………………… 8
情報提供依頼書 …………………………… 135
省令 ………………………………………… 6
症例報告書 ………………………………… 64
資料充足性・申請区分相談 ……………… 59
新医療機器 ……………………… 19, 52, 150
審査 ………………………………………… 12
　──ガイドライン ……………………… 40
　──報告書 ……………………………… 61
侵襲型機器 ………………………………… 17
申請区分 …………………………………… 19, 52
信頼性 ……………………………………… 48
　──調査 ………………………………… 55

診療報酬 …………………………………… 162
ステント通知 ………………………… 40, 46
正確性 ……………………………………… 48
製造実現 …………………………………… 24
製造所 ……………………………………… 81
製造販売業 ………………………………… 81
製造販売後安全管理 ……………… 92, 112
　──業務手順書 ………………………… 94
生体適合性 ………………………………… 36
性能（機能）確認試験 …………………… 39
製品群 ……………………………………… 122
　──該当性通知 ………………… 123, 125
製品群区分 ………………………………… 122
　──の細区分 …………………………… 123
製品群省令 ………………………………… 122
製品実現 …………………………… 105, 108
　──計画 ………………………………… 108
　──工程 ………………………………… 108
製品受領者 ………………………………… 108
　──の意見 ……………………………… 109
製品標準書 ………………………… 105, 108
生物学的安全性試 ………………………… 35
生物由来原料基準 ………………………… 41
生命・医学系指針 ………………………… 74
政令 ………………………………………… 6
責任技術者 ………………………………… 99
是正措置 …………………………………… 111
設計移管業務 ……………………………… 115
設計開発 …………………………………… 24
　──計画 ………………………………… 115
　──計画書 ……………………………… 116
　──工程 ………………………………… 115
　──照査 ………………………………… 118
　──の検証 ……………………………… 118
　──バリデーション …………………… 119
設計審査 …………………………………… 24
説明文書 …………………………………… 65
先進医療・高度医療の一本化通知 ……… 72
先進医療Ｂ ………………………………… 163

選任外国製造医療機器等製造販売業者 ……… 114
全般相談 …………………………………………… 58
総括製造販売責任者 ……………… 88, 91, 93, 112
　　──の資格要件 ………………………………… 90
ソフトウェア …………………………………… 143

●た行

第Ⅰ相 ……………………………………………… 67
第Ⅱ相後期 ………………………………………… 67
第Ⅱ相前期 ………………………………………… 67
第Ⅲ相 ……………………………………………… 67
第一種製造販売業許可 …………………………… 82
第一種製造販売業者 ……………………………… 93
第二種製造販売業許可 …………………………… 82
第二種製造販売業者 ……………………………… 94
第三種製造販売業許可 …………………………… 82
第三種製造販売業者 ………………………… 91, 94
耐久性 ………………………………………… 36, 39
代諾者 ……………………………………………… 67
対面助言 …………………………………………… 45
　　──準備面談 …………………………………… 58
立入検査 ………………………………………… 121
妥当性確認 ………………………………………… 24
妥当な臨床研究 …………………………………… 78
短期的使用 ………………………………………… 17
探索的治験 ………………………………………… 67
地域保険 ………………………………………… 162
治験 …………………………………………… 23, 45
　　──依頼者 …………………………………… 64
　　──機器 ……………………………………… 64
　　──機器概要書 ……………………………… 64
　　──計画届 …………………………………… 70
　　──計画届書 ………………………………… 71
　　──計画変更届書 …………………………… 71
　　──コーディネーター ……………………… 65
　　──実施計画書 ……………………………… 64
　　──終了届書 ………………………………… 71
　　──審査委員会 ……………………………… 23

　　──責任医師 ………………………………… 64
　　──中止届書 ………………………………… 71
　　──分担医師 ………………………………… 64
注意事項等情報 ……………………………… 8, 143
中枢神経系 ………………………………………… 17
調査申請通知 …………………………………… 121
調査要領通知 …………………………………… 121
通達 ………………………………………………… 6
通知 ………………………………………………… 6
定期適合性調査 ………………………………… 121
適合性調査申請書 ……………………………… 121
電気的安全性 ……………………………………… 36
電磁両立性 ………………………………………… 36
添付文書 ………………………………………… 144
同意文書 …………………………………………… 65
登録製造所 ……………………………………… 111
登録認証機関 …………………………………… 121
ドクターフィー ………………………………… 162
特定診療報酬算定医療機器 ……………… 165, 166
特定保険医療材料 ………………………… 164, 166
特定臨床研究 ……………………………………… 73
トラッキング制度 ………………………… 9, 152, 153
取扱説明書 ……………………………………… 149

●な行

生データ …………………………………………… 51
認証 ………………………………………………… 12
　　──基準 ……………………………………… 40
能動型機器 ………………………………………… 17

●は行

パイロット試験 …………………………………… 67
ハザード …………………………………………… 26
　　──マトリックス …………………………… 43
罰則 …………………………………………… 10, 160
バリデーション …………………………………… 24
販売・貸与業 ……………………………………… 81

販売名 …………………………………… 17
被験者 …………………………………… 65
非侵襲型機器 …………………………… 17
人を対象とする生命科学・医学系研究に
　関する倫理指針 ……………………… 76
ピボタル試験 …………………………… 67
評価相談 ………………………………… 58
被用者保険 …………………………… 162
非臨床試験 ……………………………… 41
品質管理監督システム ……… 105, 111, 120
品質管理監督文書 ………………… 85, 112
品質マネジメントシステム ………… 9, 102
品目審査 ………………………………… 55
フィージビリティスタディ ………… 22, 67
不具合 …………………………………… 16
　──等報告 ……………… 96, 112, 157
　──報告制度 ………………………… 155
複数該当医療機器 ……………………… 165
不十分な記載 …………………………… 156
不適格条項 ……………………………… 82
不適合製品 ……………………………… 110
不良品 ………………………………… 157
プログラム ………………………… 13, 14, 140
　──を記録した記録媒体 …………… 13
プロトコール …………………………… 64
　──相談 ……………………………… 58
ベリフィケーション …………………… 24
ヘルシンキ宣言 ………………………… 69
変更計画確認制度 ……………………… 57
法定表示 ……………………………… 140
　──事項 ………………… 140, 141, 142
法律 ……………………………………… 6
保険医 ………………………………… 162
ホスピタルフィー …………………… 162
保存 ……………………………………… 48

● ま行

未承認医療機器 …………………… 72, 130
命令 ……………………………………… 6
網羅性 …………………………………… 48
モニター担当者 ………………………… 65

● や行

薬事・食品衛生審議会 ………………… 17
薬事法 …………………………………… 2
薬品営業並薬品取扱規則（薬律） ……… 3
薬価基準 ……………………………… 163
優先審査 ………………………………… 58
有害事象 ……………………………… 157
予防措置 ……………………………… 111

● ら行

リスクコントロール ……………………… 8
リスク分析 ………………………… 27, 43
リスクマネジメント …………… 24, 26, 43
　──計画 ……………………………… 27
療養の給付 …………………………… 162
臨床研究 ………………………………… 72
臨床研究法 ……………………………… 73
臨床試験 ………………………………… 41
　──要否相談 …………………… 45, 58
臨床評価 ………………………………… 72
　──報告書 ……………………… 12, 72
レギュラトリーサイエンス戦略相談 …… 45, 59

医療機器開発ガイド 第2版
開発前から市販後までのステージ別、規制対応の指針

定価　本体5,500円（税別）

2016年 8 月25日　初版発行
2022年 3 月20日　第2版発行

監　修　菊地 眞（きくち まこと）
発行人　武田 信
発行所　株式会社 じほう
　　　　101-8421　東京都千代田区神田猿楽町1-5-15（猿楽町SSビル）
　　　　振替　00190-0-900481
　　　　＜大阪支局＞
　　　　541-0044　大阪市中央区伏見町2-1-1（三井住友銀行高麗橋ビル）
　　　　お問い合わせ　https://www.jiho.co.jp/contact/

©2022　　組版　スタジオ・コア　　印刷　（株）日本制作センター
Printed in Japan

本書の複写にかかる複製、上映、譲渡、公衆送信（送信可能化を含む）の各権利は株式会社じほうが管理の委託を受けています。

JCOPY ＜出版者著作権管理機構 委託出版物＞
本書の無断複製は著作権法上での例外を除き禁じられています。
複製される場合は、そのつど事前に、出版者著作権管理機構（電話 03-5244-5088,FAX 03-5244-5089, e-mail：info@jcopy.or.jp）の許諾を得てください。

万一落丁，乱丁の場合は，お取替えいたします。
ISBN 978-4-8407-5423-1